RESUMEN DE LOS EPISODIOS ANTERIORES:

Tras el ataque sorpresa de las tropas del usurpador Basam-Damdu, el capitán Blake, del servicio de inteligencia, y el profesor Mortimer se ven obligados a abandonar precipitadamente la fábrica de Scaw-Fell a bordo del Golden Rocket a fin de alcanzar su base secreta y así permitir a Mortimer finalizar la puesta a punto de una nueva arma total: el Espadón.

EDGAR. P.-JACOBS

Cuando el blindado cañonea el refugio de Blake y Mortimer, el desfiladero retumba con el ruido de una violenta descarga de fusilería.

Afortunadamente, antes de la llegada de las tropas amarillas al mando del coronel Olrik, nuestros héroes tienen tiempo de destruir Scaw-Fell y sus secretos militares.

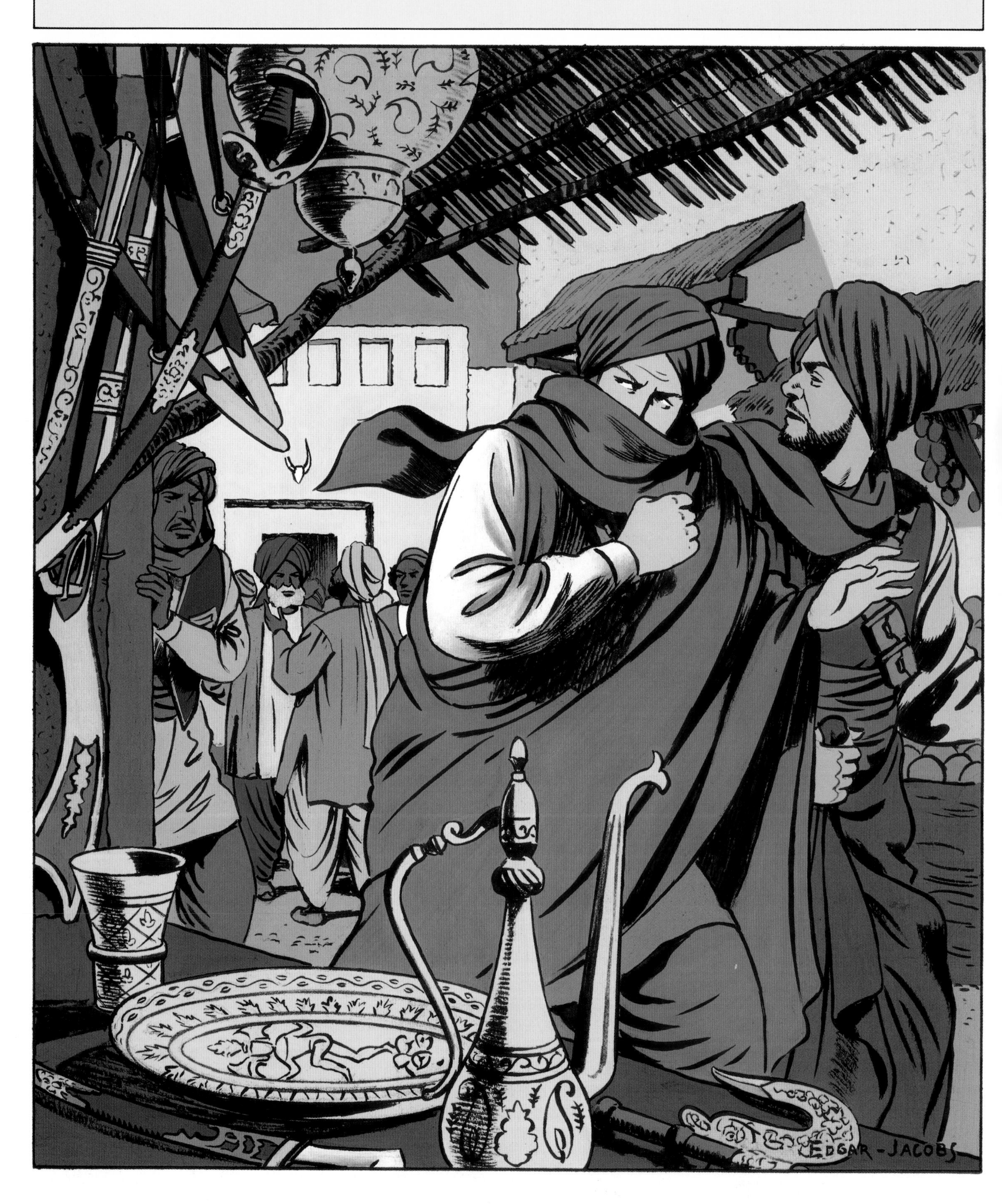
EDGAR-JACOBS

El Bezendjas no abandona su vigilancia y...

Edgar P. Jacobs

EL SECRETO DEL ESPADÓN

TOMO 3: SX1 CONTRAATACA

SX1

NORMA
Editorial

Colección BLAKE y MORTIMER

LAS AVENTURAS DE BLAKE Y MORTIMER
EL MISTERIO de la GRAN PIRÁMIDE
NORMA

LAS AVENTURAS DE BLAKE Y MORTIMER
EL MISTERIO de la GRAN PIRÁMIDE
NORMA

LAS AVENTURAS DE BLAKE Y MORTIMER
EDGAR P. JACOBS
LA MARCA AMARILLA
NORMA

LAS AVENTURAS DE BLAKE Y MORTIMER
EL ENIGMA DE LA ATLÁNTIDA
NORMA

LAS AVENTURAS DE BLAKE Y MORTIMER
S.O.S. METEOROS
NORMA

LAS AVENTURAS DE BLAKE Y MORTIMER
LA TRAMPA DIABÓLICA
NORMA

LAS AVENTURAS DE BLAKE Y MORTIMER
EL CASO DEL COLLAR
NORMA

LAS AVENTURAS DE BLAKE Y MORTIMER
LAS 3 FÓRMULAS DEL PROFESOR SATO
NORMA

LAS AVENTURAS DE BLAKE Y MORTIMER
EL SECRETO DEL ESPADÓN
NORMA

LAS AVENTURAS DE BLAKE Y MORTIMER
EL SECRETO DEL ESPADÓN
NORMA

LAS AVENTURAS DE BLAKE Y MORTIMER
EL SECRETO DEL ESPADÓN
NORMA

LAS AVENTURAS DE BLAKE Y MORTIMER
LAS 3 FÓRMULAS DEL PROFESOR SATO
NORMA

LAS AVENTURAS DE BLAKE Y MORTIMER
EL CASO FRANCIS BLAKE
NORMA

LAS AVENTURAS DE BLAKE Y MORTIMER
LA MAQUINACIÓN VORONOV
NORMA

LAS AVENTURAS DE BLAKE Y MORTIMER
LA EXTRAÑA CITA
NORMA

LAS AVENTURAS DE BLAKE Y MORTIMER
LOS SARCÓFAGOS DEL 6° CONTINENTE
NORMA

LAS AVENTURAS DE BLAKE Y MORTIMER
LOS SARCÓFAGOS DEL 6° CONTINENTE
NORMA

Color: Philippe Bierné, Luce Daniels

Colección Blake y Mortimer nº11.
EL SECRETO DEL ESPADÓN 3ª PARTE. SX1 CONTRAATACA.
Título original: "Le secret de l'espadon. Tome 3", de E. P. Jacobs.
Primera edición: julio 2006.

Passeig de Sant Joan, 7 - 08010 Barcelona.
Tel.: 93 303 68 20 - Fax: 93 303 68 31.
E-mail: norma@normaeditorial.com
Traducción: Alfred Sala. Rotulación: Drac Studio.
ISBN 10: 84-9814-707-7. ISBN 13: 978-84-9814-707-0.

www.NormaEditorial.com
www.dargaud.com

Pero el Golden Rocket es abatido por una patrulla de tiburones estratosféricos, comenzando entonces una loca huida de Blake y Mortimer que Nasir, sargento del Makran Levy Corps, salva por los pelos al evitar una trampa tendida por Olrik...

EDGAR . P. JACOBS

¡Súbitamente se desprende un bloque de roca y Blake se precipita al vacío!...

Por desgracia, durante la persecución, Mortimer es apresado por los amarillos, pero antes de ser capturado consigue esconder los planos del espadón.

EDGAR. P. JACOBS.

Empuñando sus automáticas, Mortimer vacía los dos cargadores en dirección al proyector.

Un mensaje codificado que transmite Mortimer durante su cautiverio les permitirá a Blake y a Nasir localizar y recuperar los planos.

En el cielo de Lhasa, nueva capital del gran imperio mundial amarillo, acaba de aparecer el Ala Roja II, el avión personal del coronel Olrik. ¡Eso no presagia nada bueno!...

Los organizadores de la evasión de Mortimer se reúnen con él a bordo del submarino S 2, el cual escapa por muy poco de la escuadra de torpederos.

E. P. JACOBS

"Vaya, vaya, ¿no eras tú el que trabajaba en la cerca el otro día?..." Exclama repentinamente Olrik fijando en Nasir una inquisidora mirada.

Un mes después de estos dramáticos acontecimientos, vemos un tren detenido en la estación de Karachi. Es un convoy de técnicos e intelectuales destinados a uno de los siniestros campos de concentración del Himalaya.
¡Bueno!... ¡Esto ya se acaba!

A propósito, esta mañana he visto a Li; parecía muy deprimido por esa interminable investigación sobre la fuga de Mortimer.
Toda esa historia es un mal asunto para Olrik.

Sí. Y ahora entre nosotros: el doctor Fo habrá acusado a Olrik ante el Gran Consejo de hacer un doble juego y de haber tratado de apropiarse de los planos del Espadón. El coronel ha protestado, evidentemente. Entre tanto, tras su vuelta de Lhasa, no ha salido de su residencia, donde se ha reforzado la guardia. Orden del Emperador, según parece.
Su residencia vigilada, ¿eh?

Mientras, dentro de un vagón un grupo de prisioneros discute los acontecimientos.
¡Sí, muchachos, una auténtica novela de aventuras! Primero arrebatado por un helicóptero, luego por un submarino. ¡Y esto es Karachi! ¡Bajo las narices de Olrik! ¡Y eso que los amarillos no habían reparado en gastos! ¡Torpederos, aviones, incluso radar! ¡Pues a pesar de todo, plaf! ¡Desaparecidos! ¡Evaporados!
Entonces, crees que el submarino habrá podido ganar alta mar y que...

En ese instante, la puerta se abre violentamente y un personaje en un estado lamentable es empujado dentro del vagón a culatazos.
¡Buen viaje!

¿Dónde te han dejado así, amigo?

Me llamo Bell, Donald Bell, de misión en Karachi. Había conseguido esconderme hasta ahora, pero...

¿Donald Bell?... ¿No serás por casualidad el ingeniero Bell de la Comisión de Energía Atómica?
¿Cómo? ¿Me conoces?

No, pero conozco muy bien a tu hermano, el teniente Archie Bell. ¡Me ha hablado de ti a menudo! ¡Me alegro de conocerte, Bell!... Perdón, lo olvidaba. Jack Harper, jefe veterano en el distrito del norte.
¡Caramba! ¡Qué sorpresa!

Eh, Harper, echa un vistazo a lo que acabo de encontrar bajo la paja.
¡Una palanca de hierro! Quizá pueda servirnos más adelante.

Suena un pitido y el convoy se pone en movimiento. La locomotora va precedida de un vagón cargado de arena destinado a soportar los efectos de la eventual explosión de una mina.
TUUUT

...mientras en la cola, un vagón blindado transporta una guardia fuertemente armada.

El tren rueda hora tras hora bajo un sol de fuego.

Pero al anochecer, al entrar en un desfiladero, una violenta explosión hace añicos el vagón que va en cabeza.
BANG

El tren se detiene bruscamente y en seguida estalla la fusilería. El maquinista trata de dar marcha atrás, pero no lo consigue, pues una de las bielas ha quedado afectada a causa de los fragmentos de la explosión: el convoy está paralizado.

Encerrados en los vagones, los prisioneros se esfuerzan en seguir las fases de la escaramuza.
¡Un ataque de los partisanos, sin duda!
¡Esto parece ir a más!

¡Hum! Así no conseguiremos nada, sargento.
Eso pienso, señor. ¡Se trata de ese condenado vagón que les permite resistir!

En efecto, aún habiendo fracasado, la tentativa de retirada ha conseguido hacer salir el vagón blindado del estrecho desfiladero donde se encontraba encajado, que puede así barrer con su fuego el terreno circundante.

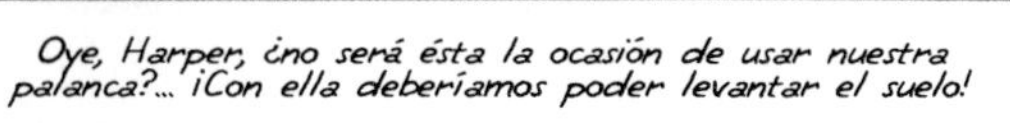

Oye, Harper, ¿no será ésta la ocasión de usar nuestra palanca?... ¡Con ella deberíamos poder levantar el suelo!

¡Claro! ¡Buena idea, Bell!

¡Goddam! No podemos eternizarnos aquí. ¡La aviación nos puede caer encima de un momento a otro!

Mientras, Harper y sus compañeros, después de practicar una brecha en el suelo, se deslizan entre los raíles.
¡Atención! ¡El vagón blindado se encuentra justamente tras el nuestro!

Pronto, bajo el vigoroso esfuerzo de Harper, el suelo empieza a ceder.
¡Sostened fuerte!
¡Dale, Jack!... ¡Ya se mueve!

Señor, si me autoriza, acabo el asunto con una granada. Un hombre solo tiene más oportunidad de acercarse.
All right, Mac, pero sea prudente.

Mac, que se ha ido arrastrando hasta llegar al pie del terraplén, coge una granada y le arranca la anilla.

Desafortunadamente, desde su posición dominante, los amarillos han visto al sargento y han comprendido sus intenciones.
¡Cuidado! Se ha detenido. ¡No falléis!... ¡Rápido!
Esté tranquilo, mi teniente.

Súbitamente una lluvia de balas choca contra la roca tras la que Mac se ha refugiado. Una de ellas le da en un brazo.
¡Ay!

Dominando su dolor, el sargento consigue lanzar su granada con la mano izquierda.

Desgraciadamente, la granada, proyectada con menos fuerza, va a caer sobre el balasto, apenas a dos pies de los horrorizados fugitivos.
!
!

Pero Bell, rápido como el rayo, coge la granada.

...y, poniéndose en pie de un salto, ¡la lanza contra el vagón blindado!

Instantáneamente, una mortífera explosión anula de golpe toda la defensa.

¡Adelante!

Y los comandos se lanzan.

¡Hurra!
¡Buen trabajo, gentlemen!

¡Teniente, le presento a Donald Bell, el autor de esta hazaña!
¡Le felicito, señor! ¡Verdaderamente, le debemos mucho! ¡Sin su sangre fría, estoy seguro de que hubiéramos tenido que batirnos en retirada!
¡Bah! No tenía elección, teniente.
Mientras, los comandos liberan rápidamente a los prisioneros de los otros vagones.
¿Qué, Mac, cómo va el brazo?
Nada grave, señor. ¡Un simple arañazo!

Instantes más tarde, prisioneros y comandos abandonan el siniestro convoy y bajan precipitadamente por el terraplén a paso de carrera.
Hello! ¡Apresurémonos!

Tras una rápida y difícil marcha de aproximadamente milla y media, el grupo llega a cierta carretera donde esperan unos camiones militares.

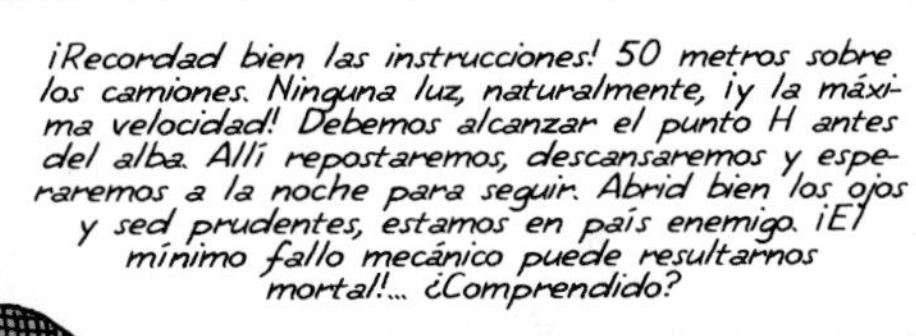
¡Recordad bien las instrucciones! 50 metros sobre los camiones. Ninguna luz, naturalmente, ¡y la máxima velocidad! Debemos alcanzar el punto H antes del alba. Allí repostaremos, descansaremos y esperaremos a la noche para seguir. Abrid bien los ojos y sed prudentes, estamos en país enemigo. ¡El mínimo fallo mecánico puede resultarnos mortal!... ¿Comprendido?

All right, sir!

Y ahora, Bell, ¡la libertad es nuestra!
¡Que el cielo te escuche, Jack!

Y mientras los últimos rayos de sol iluminan el horizonte, la columna se pone en marcha levantando nubes de polvo.

Dos días más tarde, tras la peligrosa excursión, el comando llega a los acantilados del Makran. Después de haber camuflado los camiones en un lugar de la cima, el grupo reemprende a pie el camino hacia la base...

...Y llegada la noche hace un alto en el sitio donde Blake y Nasir desaparecieron cuando Mortimer fue capturado.

¡Gentlemen, les ruego que escuchen atentamente mis instrucciones, les va la vida en ello!... Vamos a franquear la entrada de nuestra base, que sólo es accesible por este lado cuando baja la marea. Sigan, pues, en fila y exactamente por el camino que yo vaya señalando. Mis hombres se intercalarán entre ustedes para mayor seguridad. El que se separe será presa segura de las arenas movedizas, extremadamente peligrosas, que rodean las proximidades del peñón que ven allá abajo.

Y lentamente, con gran cautela, los hombres se ponen en marcha.

Habiendo atravesado sin novedad la zona peligrosa, el teniente se detiene ante una de las numerosas fisuras que hienden la roca.
¿Estamos todos?
¡Sí, sir!

Habiendo avanzado hasta el fondo de la fisura, el oficial se para ante una barrera invisible formada por un ojo electrónico de cesio, y se pone a trazar en el aire una serie de misteriosos signos.

Así, interceptando los invisibles rayos con una cadencia convenida, forma sobre el tablero de control del puerto de vigilancia la señal de reconocimiento de los comandos.
¡Atención! Aquí puesto de vigilancia sector Makran. Comando en puerta 1. Todo normal. Iluminen y abran
STATION

En seguida, con un ligero ruido, el panel de roca protegido por los rayos invisibles se eleva descubriendo así un paisaje iluminado.
¡Por aquí!

El grupo entra y desemboca en una inmensa caverna reluciente, llena de agua y brillantemente iluminada.

By Jove! ¡Bell, que maravilla! ¡Mira todo esto!

¡Sí, sí, pero no te asomes demasiado!

¡Eh, ahí! ¡Cuidado!... El suelo esta resbaladizo y...

En el mismo instante, el pie de Harper resbala sobre la viscosa roca.

¡¡Jack!!

Pero Bell, aun a riesgo de precipitarse él mismo en el vacío, consigue agarrar al desgraciado en el último segundo.

¡Ah! ¡Leal camarada, sin ti hubiera caído!
¡Bah! Habrías tomado un baño a la fuerza, eso es todo.
¿Baño a la fuerza?... ¡Hum! No les aconsejo probarlo. Vean esto:

El teniente coge una piedra y la lanza al agua estancada.
PLOUF

Un espectáculo dantesco se ofrece de repente a su vista.
Y ahora, gentlemen, ¿qué opinan ustedes?

¡¡¡Qué horror!!!
¡Santo Dios!

La piedra ha caído en medio de una masa hormigueante de espantosas arañas de mar, que se hallan escondidas en el fondo viscoso enmarcado por el arco de piedra. Las horribles bestias se desplazan con siniestros crujidos.

Petrificados, los hombres no consiguen sobreponerse al alucinante espectáculo.
¡¡¡Caer ahí dentro!!!...
Es inútil imaginar cosas, se resienten los nervios. Vamos, no nos retrasemos más, hay mucha humedad aquí. ¡En marcha!

Tras el dramático incidente y tras franquear la sima de las arañas, los hombres penetran, siguiendo a su guía, en un laberinto de salas y galerías de fantásticas formas.

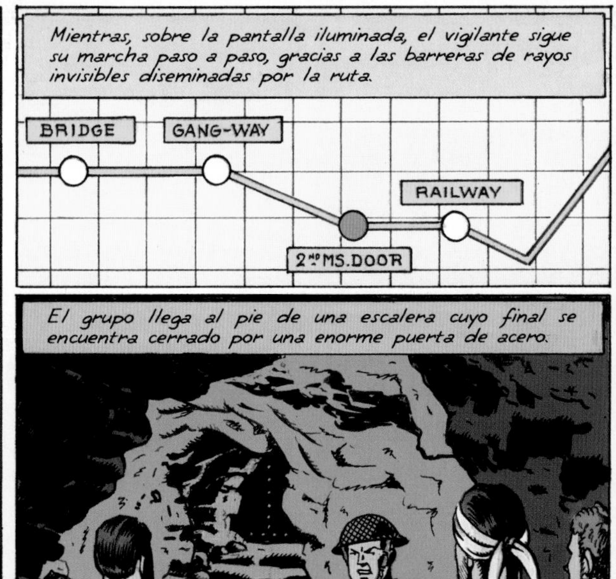
Mientras, sobre la pantalla iluminada, el vigilante sigue su marcha paso a paso, gracias a las barreras de rayos invisibles diseminadas por la ruta.
BRIDGE
GANG-WAY
RAILWAY
2nd MS.DOOR
El grupo llega al pie de una escalera cuyo final se encuentra cerrado por una enorme puerta de acero.

Pero ésta, como la primera, se eleva cuando los hombres se aproximan. Un tren eléctrico se halla allí, esperando.
Hello!

Mientras el grupo va ocupando los coches del tren eléctrico, el teniente Brady cambia impresiones con el mecánico.
Me alegro de volverle a ver, sir. Ahí abajo empezábamos a temer lo peor.
Ya me lo imagino, pero eso no es todo. Aquellos individuos empiezan a organizarse.

El tren se pone en movimiento...
Go on, Phill!

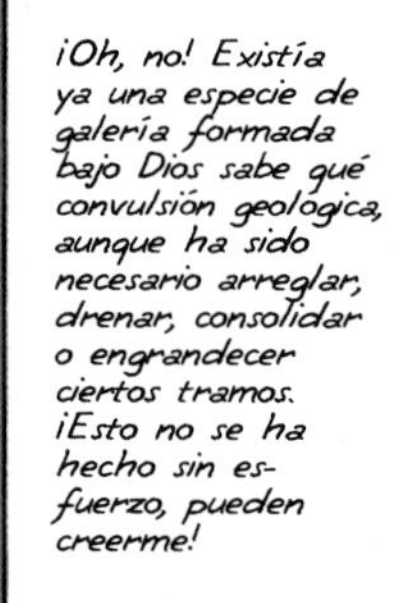
...y se dirige a toda velocidad hacia el corazón de la base secreta.

En seguida, en los vagones, empieza la charla.
¡Palabra, teniente, creo estar soñando!
A cien brazas bajo el agua, señores.
¿Dónde nos encontramos ahora?

¿Qué?
¿Pero qué dice?
Lo que oyen, en este momento rodamos a 40 millas por hora bajo el estrecho de Ormuz.

¡Increíble!... ¿Y nos dirigimos a?
Hacia el Ras Musandam, simplemente.
¡Prodigioso!... ¿Y se ha excavado todo este túnel?

¡Oh, no! Existía ya una especie de galería formada bajo Dios sabe qué convulsión geológica, aunque ha sido necesario arreglar, drenar, consolidar o engrandecer ciertos tramos. ¡Esto no se ha hecho sin esfuerzo, pueden creerme!

¡Sí, gentlemen!... ¡De los acantilados de Makran a los roquedales de la cornisa de Arabia, 38 millas bajo el mar!
¡Diablos!

Oye, ¿será lo bastante sólido? ¡Es que yo no sé nadar!

Mientras los hombres charlan, el tren ha ido avanzando y ya se avista la entrada de la base...

...cuya puerta de acero acaba de elevarse a fin de dejarlo para pasar. Disminuyendo su velocidad, el convoy penetra en el lugar...

...Y mientras el tren prosigue su curso hacia la sala central, el vigilante se pone en comunicación con el puesto de mando de la base.
¡Atención! ¡Atención! Aquí puesto de vigilancia. Sector Makran.

El comando del teniente Brady acaba de volver, ¡misión cumplida!... Los hombres están siendo transportados a la sala central.

E. JACOBS

Disminuyendo su velocidad, el tren rueda bajo la enorme puerta de acero que acaba de levantarse para dejarle paso, ¡y penetra en el corazón mismo de la base secreta!

En el P.M. de la base, donde se hallan reunidos sir William Gray, el capitán Blake y el profesor Mortimer...
¡Y bien, querido amigo, he aquí una buena noticia!
Excelente, sir. Voy a echar un vistazo al nuevo contingente. ¿Viene, Mortimer?
No, tengo demasiado quehacer. Confío en Vd., Blake.

¡Caramba, Bell, casi no lo puedo creer, es realmente extraordinario!
¡Y sin embargo, las aventuras no han hecho más que empezar, Harper!
¡Misión cumplida, sir!
Me alegro de verle, Brady. Empezábamos a inquietarnos por...

Blake acaba de entrar en la sala y habla con Brady, pero una exclamación de sorpresa interrumpe al capitán.
¡¡¡Blake!!!
¡¡¡Harper!!! ¡No es posible!... ¿Tú aquí?

¡By Jove, Harper, qué alegría verte!
¡Ah! ¡¡¡Amigo, ya daba por seguro no llegar jamás aquí!!!

Blake, permíteme presentarte a mi amigo Donald Bell, de la Comisión de Energía Atómica, a quien debo el hallarme aún con vida.
Me alegro de conocerle, capitán.
¿Cómo está Vd., Mr. Bell? Pienso que su conocimiento en asuntos atómicos será particularmente apreciado por el profesor Mortimer. ¿Pero me dice Harper que le debe a Vd. la vida?
¡Oh! Harper exagera mucho.

En absoluto. ¡Figúrate que no contento de haber asegurado el éxito de la operación del comando, encima Bell me ha salvado de una muerte espantosa cuando, al resbalar en el suelo viscoso, iba a caer en la sima de las arañas!

¡Ajá, un buen reclutamiento! Pero está Vd. herido. Hemos de ver a un médico.
¡Oh! ¡No vale la pena, se lo aseguro! Un vendaje limpio bastará.

Brady, esos hombres están demasiado fatigados para que yo les hable ahora. Haga que les den de comer y que les distribuyan ropa adecuada. Acto seguido, hágales conducir a la sección T. Sus cámaras están listas. Pongan a Bel con Harper.
Bien, sir.
¡Buenas noches, Harper!
¡Hasta mañana, Blake!

Más tarde, ya comidos y provistos de ropa nueva, los hombres son conducidos a la sección de los técnicos.
Su cámara, gentlemen.

Habiendo tomado posesión de la habitación, los dos hombres se apresuran a proceder a una limpieza en regla de su persona.
¡Sapristi! ¡Harper, ya era hora!
¡Te creo! ¡Todos estos pelos me horrorizan!

¡Uf! ¡Ya está!... Pero dime, querido pirata, ¿es que tienes intención de conservar tu adorno peludo?
¡Oh, bueno, tal vez te sorprenda, pero tengo mis dudas!... Con barba eres todo un hombre. ¡Ja, ja! Además. ¡¡¡Me siento tan cansado!!!
¡Sábanas limpias, un cigarrillo, aaah, qué delicia!... ¡Eh, Bell!... Ya duerme. Voy a imitarle...

Al día siguiente...
¡Dring! ¡Dring!... ¡En pie! ¡Dring! ¡Dring! Reunión en la sala dentro de media hora. ¡Dring! ¡Dring!...

¡Eh! Ahí abajo, ¿Has oído? ¡Venga, perezoso!
Sí. Pero no sé qué me pasa. No me encuentro nada bien. ¿La reacción, tal vez?

Es lógico, hombre, has estado sobreexcitado, con los nervios de punta. Ahora iré a buscar un médico.
¡No! ¡No! ¡Sobre todo nada de médicos! ¡Me tomarían por una damisela! Un poco de reposo es todo lo que necesito.

Un cuarto de hora mas tarde.
Excúsame ante Blake. Pero nada de médicos, ¿eh?... No.
¡Tranquilo, camarada, yo lo arreglaré!

Una hora después.
¡¡¡Ya estoy aquí!!! Mira y admira este sofisticado equipo de puro terylene y plomo destinado a proteger a este servidor de las radiaciones nocivas.

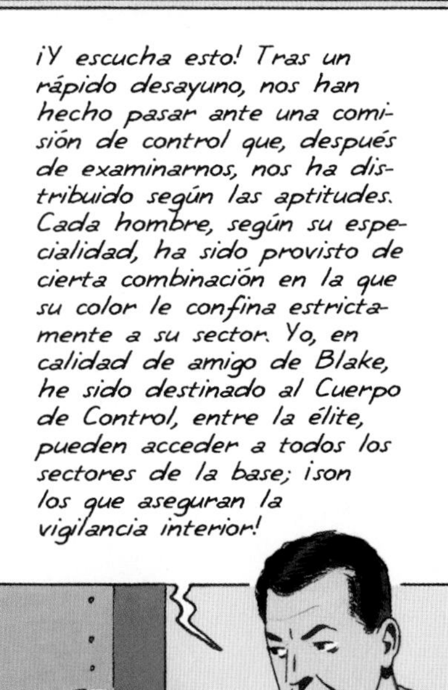
¡Y escucha esto! Tras un rápido desayuno, nos han hecho pasar ante una comisión de control que, después de examinarnos, nos ha distribuido según las aptitudes. Cada hombre, según su especialidad, ha sido provisto de cierta combinación en la que su color le confina estrictamente a su sector. Yo, en calidad de amigo de Blake, he sido destinado al Cuerpo de Control, entre la élite, pueden acceder a todos los sectores de la base; ¡son los que aseguran la vigilancia interior!

¡Vaya! Pues sí que es importante el trabajo que te han dado. Y yo, ¿qué papel represento en todo esto?
En tu calidad de especialista en cuestiones atómicas, serás adjunto del profesor Mortimer. ¡A propósito, te traerán un reconstituyente que te pondrá en pie en un abrir y cerrar de ojos!... ¡Y ahora, he de vestirme corriendo!

En el despacho del capitán Blake.
¡Reunión de los nuevos equipos en un cuarto de hora!
¡Bien, sir!

Un cuarto de hora después, en el puesto de control.
¡Atención! ¡Atención! Reunión...
...inmediata para los nuevos equipos en los lugares asignados. ¡Atención! ¡Atención!...
¡Diablos! ¡Ya!... ¡Aquí no se duermen!

En este momento, llaman a la puerta.
¿Qué pasa?...
TOC
TOC
TOC

El cordial del Sr. Bell. Para tomar en dos veces.
¡Ah! Muy bien, pero ¡Chis! Está amodorrado. No le despertemos.
¡Comprendido!... Ah, cuidado, no tiene muy buen sabor.
¡No tema, es un muchacho razonable!

Quédate tranquilo, chico, y descansa. ¡Hasta luego! No te olvides del cordial.

Perdón, soy nuevo y estoy algo confuso. ¿Dónde está el Central Control Room?
Nada más sencillo. Coja el pasillo A y luego el A1. Desciendа, gire a la izquierda, después a la derecha. Llegue hasta la parada del tren. Allí le indicarán.
Soy Harper, el nuevo C.C. ¿Es aquí?
Sí, pero apresúrese, ya los llaman.

El capitán Manderton, jefe del C.C. reparte las patrullas.
¡Itinerario 4!... Milward y Smith.
¡Presente!

¡Itinerario 6!... ¡Mallow y Harper!
¡Presente!
¡Presente!
Harper, Vd. formará equipo con Mallow, quien le pondrá al corriente del servicio. ¿Comprendido, Mallow?
Cuente conmigo, sir.
Muy bien, sir.

¡Encantado de conocerle, Mallow!
¡Yo también, Harper!... ¡Vamos, en ruta!... ¡Sigue al guía!
Dime, ¿veremos los tan nombrados talleres?
¡Ah! ¡Ah!... ¡Te veo venir!... No, hoy no, ¡pero a cambio te prometo algunas sorpresas!
CONTR L ROOM

Atravesando rápidamente la sala central, Mallow y su compañero se dirigen al ascensor que conduce a su sector.
4
¿Qué hacemos?
Ahora te lo explico.

Nuestro itinerario está sembrado de controles de rayos infrarrojos que debemos ir activando al pasar. Pero además de esta vigilancia, nuestra tarea principal consiste en detectar, con la ayuda de este oscilógrafo ultrasensible, toda presencia radiactiva sospechosa y averiguar su origen tan pronto como podamos. Por otro lado, estamos en contacto constante con el puesto de control...

...mediante nuestro pequeño L.F.-talkie; cuando se quiere comunicar con el P.M. o con las demás patrullas, basta con empalmar el micrófono y acercar el aparato a un conductor metálico cualquiera que pase próximo al correspondiente que se desea alcanzar. Un combinado microfónico permite también hablar con personas que no estén provistas de "talkies". Mira ya hemos llegado.

Mallow avanza hacia el marco de la puerta y traza unos signos ante el ojo electrónico del control de la cámara de escafandras.
Hello! Éste es Harper, nuestro nuevo camarada.
Hello!
Hello!

Y aquí está la cámara de inmersión, que permite comunicar con el mar.
¡Vaya! Esto es muy interesante.

La presión del aire mantenido en la cúpula impide, por un sistema de bombeo, que el agua sobrepase un nivel determinado, y un recinto de descompresión da acceso a un pequeño muelle interior. Ven.
Te sigo.

¡Ya estamos!
ARSENAL
¡El arsenal!

Franqueando la pesada puerta de acero, los dos hombres penetran en una serie de salas donde armas y municiones de todo género y de todos los calibres están ordenados hasta perderse la vista.
¡Caramba, parecéis bien abastecidos!
Sí, hay con qué hacer bonitos fuegos artificiales.

Y aquí, tras este muro de hormigón y acero, está la prensa hidráulica que comprime las materias explosivas en bruto, entre otras nuestra famosa atomilita B.
¿Un nuevo explosivo?
¡Uno solo de estos cartuchos, provisto de su pila de contacto diferido, es capaz de reducir a escombros un inmueble de diez pisos!
¡Demonios! Y...

Pero una llamada interrumpe a los dos hombres.
¡Hola!... ¡Mallow!... Aquí el capitán Manderton. Hay algo que falla en la parte del ciclotrón. Vayan e infórmenme lo más rápido posible.

Mallow, que en seguida ha conectado su micrófono, se aproxima a un montacargas a fin de oír mejor.
Muy bien, sir. Vamos inmediatamente.

Al recibo de la comunicación, Mallow, interrumpiendo su ronda, se apresura a abandonar el arsenal, seguido de Harper.
¡Ven, compañero, nos necesitan!
¡Voy!... ¡Voy!...
AB
A.B.
AB

Habiendo montado en un pequeño automotriz, los dos hombres llegan instantes después a la entrada del Departamento Atómico.
Ésta es la zona peligrosa. Hello! ¿Qué sucede?
¡Alto!
STOP
Esta tarde vinieron dos hombres de la central, con la misión de comprobar la instalación eléctrica de los laboratorios. Una hora después de su llegada, los químicos que se marcharon del laboratorio pasaron delante del detector de salida sin que se pusiera de manifiesto nada sospechoso. Poco más tarde, el profesor Mortimer y su ayudante, que habían trabajado en el recinto del ciclotrón, pasaron a su vez sin incidentes ante el oscilógrafo. No obstante, veinticinco minutos después, los dos electricistas, interrumpiendo su trabajo, se presentaron aquí, mostrando síndromes evidentes de intoxicación radiactiva. El test del detector confirmó inmediatamente sus temores. Ignoramos la fuente de las radiaciones, pero hemos hecho evaluar al personal de inmediato.
Bien, vamos a ver eso.

Acompañado de su segundo, Mallow, equipado con un detector "geiger" entra resueltamente en los locales del taller atómico.
Nada sospechoso por aquí. Veamos la pantalla de plomo tras la que se efectúan los trabajos.

Habiendo inspeccionado palmo a palmo varios laboratorios sin descubrir nada anormal, los dos C.C...
De hecho, el amigo Bell es un especialista en cuestiones atómicas, ¿verdad?...
Sí, y entre nosotros, no quisiera estar en su lugar.

...penetran al fin en la sala del ciclotrón.
¡100 millones de electrones-voltios!
¿Y bien, Mallow?...
¡Nada! Absolutamente nada en ninguna parte. Pero a propósito, ¿cuál fue el último laboratorio en el que estuvieron esos hombres?
DANGER

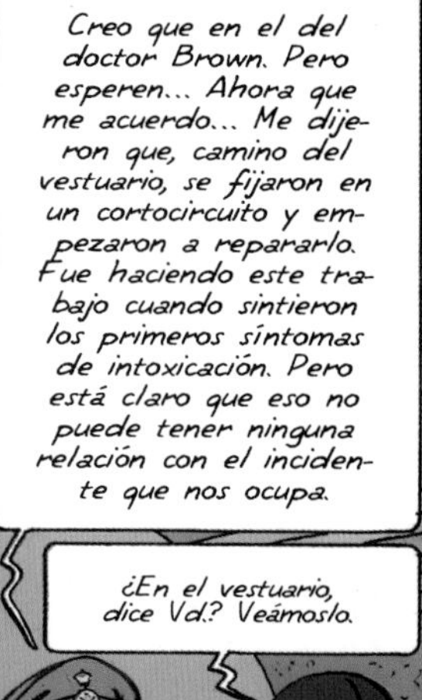
Creo que en el del doctor Brown. Pero esperen... Ahora que me acuerdo... Me dijeron que, camino del vestuario, se fijaron en un cortocircuito y empezaron a repararlo. Fue haciendo este trabajo cuando sintieron los primeros síntomas de intoxicación. Pero está claro que eso no puede tener ninguna relación con el incidente que nos ocupa.

¿En el vestuario, dice Vd.? Veámoslo.

¿Dónde se encontraban exactamente?
Allá abajo, vea: la escalera aún está allí.

Estaban aquí. Entonces, lógicamente, tendría que...
NO ADMITTANCE WITHOUT CHANGING SHOES
CC

Pero en el mismo instante, la señal acústica del detector interrumpe las reflexiones de Mallow...
By Jove!
Tiii
Tiii

...quien, gracias a la pantalla fluorescente del oscilógrafo, pronto localiza la zona de las radiaciones.
Tiene que haber algo ahí. Justo enfrente de la escalera.
¿Qué podrá ser?

Mallow coge una bata de laboratorio colgada de una percha, la examina atentamente y después mete la mano en uno de los bolsillos.
¿Pero qué diablos buscas?
¡Ah!

¡Esto, amigo mío!... ¡Una pinza en estado de radioactividad! Como consecuencia de su contacto con materias radiactivas, esta pinza emite a su vez rayos gamma extremadamente peligrosos. ¡Tanto más peligrosos dado que nadie piensa en protegerse en el vestuario!

¡Ah, esto!... Es la bata de Stone, el ayudante del profesor. Habrá dejado caer maquinalmente la pinza en el bolsillo y la habrá olvidado.
¡A pequeñas causas, grandes efectos! ¡Apártese, es más prudente!

Momentos después, los dos hombres, siguiendo su interrumpida ronda, abandonan el sector atómico y Mallow da en seguida su informe al capitán Manderton.

No, sir, ningún peligro. Los objetos se han depositado en seguridad en el armario de plomo del laboratorio. A sus órdenes, mi capitán.

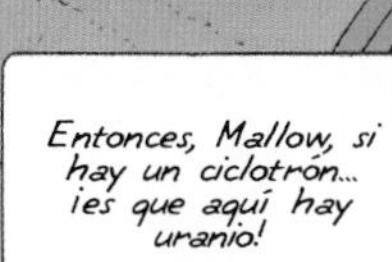

Entonces, Mallow, si hay un ciclotrón... ¡es que aquí hay uranio!

¡Perfectamente razonado, amigo! ¡Y bien puedes decir que hay una mina entera! Efectivamente, a doscientos pies bajo nosotros se encuentra un yacimiento de uranio excepcionalmente rico. El gobierno, previniendo una posible interrupción de nuestras líneas de comunicación, decidió explotar y tratar el mineral in situ. En consecuencia, hizo edificar sobre el emplazamiento de la mina una base militar capaz, si fuese necesario, de autoabastecerse por largo tiempo. Desgraciadamente el ataque de los amarillos nos ha sorprendido cuando aún no estaba todo terminado. Alto, bajamos aquí.

Abandonando el automotriz, los dos C.C. se internan en un largo corredor.
Oye, ¿para qué sirven estos orificios que se encuentran por todos lados?

Son chimeneas de aireación. Procedentes de la cámara de ventilación, enlazan con muchos pisos y conectan a su vez con otras chimeneas transversales. Unas escaleras de hierro permiten su inspección y cada patrulla lleva una llave maestra que abre las rejas de acceso. Mira.

Te alumbraré.
¡Hum! Vale más no tener vértigo.

¡Realmente, Mallow, no hay tiempo de aburrirse contigo! ¿Y esto qué es?
¡El centro nervioso de la base!... ¡Pasa!

En una gran sala abovedada, zumban seis enormes turboalternadores.
Aquí puedes ver a la central alimentando a todos los sectores de la base.

¡Formidable! Pero eso no me explica aún de dónde proviene la energía.
Paciencia. Ya lo entenderás.
CC

Mallow guía a su compañero hacia un estrecho corredor cortado por macizas puertas estancas.
Nos hallamos en el corazón mismo de la base.

Franqueada una última puerta, los dos hombres se detienen en medio de una inextricable red de conductos, de tubos y compuertas: la cámara de bombeo.
¡Aquí tienes el secreto de nuestra energía!

Por esos enormes tubos nos llega una fuente de energía ilimitada, inagotable. La energía de los mares.
¡Caramba!

Este procedimiento, que pone en juego la diferencia de temperatura existente entre las aguas de la superficie y las de las profundidades de los mares tropicales, es bien simple. El agua tibia que nos llega de la superficie se hace evaporar al vacío en una cámara de ebullición y el vapor así producido se condensa a su contacto con el agua fría, extraída de las profundidades, en una cámara de condensación. La corriente de vapor que se establece entre la cámara de ebullición y la de condensación arrastra una potente turbina, transformando así la energía térmica en energía mecánica, luego, en energía eléctrica por simple acoplamiento a la turbina de un alternador. ¡Eso es todo!
¡Prodigioso!

Éste es realmente el centro vital de la base; creo que puedes comprender perfectamente las extraordinarias medidas de precaución impuestas al personal. Un accidente banal aquí o en la central representa la paralización.
Lo comprendo, desde luego. ¡Sin corriente, no hay Espadón!
¡Tanto más cuanto que el tiempo apremia! Los amarillos se huelen algo y esto representa una carrera a contrarreloj entre ellos y nosotros.
A propósito. ¿Dónde está ese famoso Espadón?

¿Ése?... Di mejor esos. Espera, se te ha caído algo.
No. ¿¡Oh!?

Un cartucho de atomilita provisto de su pila de contacto diferido acaba de caer del mono de Harper.

¡¿Qué?!... ¿Qué es esto?... ¡Atomilita!... Pero entonces. ¡Tú!... ¡Oiga! ¡Oi...!

¡No hagas el idiota, Mallow!

¡Oiga! ¡Oiga! Control Central a la escucha. ¿Quién llama?... Un error, sin duda. No obstante, me había parecido...

Mientras, sir William y el capitán Blake se presentan en los talleres a fin de hablar con el profesor Mortimer.
¡Buenos días, señores! Sean bienvenidos.
¡Hello, profesor!

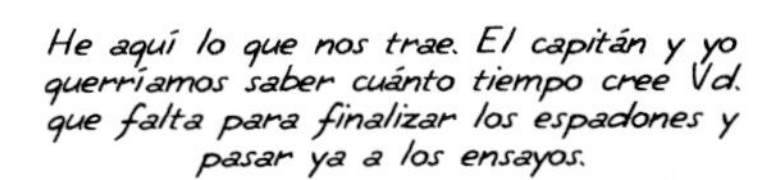

He aquí lo que nos trae. El capitán y yo querríamos saber cuánto tiempo cree Vd. que falta para finalizar los espadones y pasar ya a los ensayos.
¡Vaya! Me pillan Vds. de improviso. Desde luego, no es cuestión de poner su paciencia a prueba, como a los caballeros de Karachi. Aunque, de hecho, ¿por qué esa prisa?

Bien, según numerosos informes, el Ras Musadam es objeto, en este momento, de una vigilancia singularmente activa. Individuos de toda calaña rondan por sus alrededores: falsos comerciantes, refugiados, etc.

Tal y como si la base hubiese sido descubierta o, al menos, localizada. He enviado a Nasir a la parte de Makran y espero su vuelta de un momento a otro. Si su informe confirma nuestros temores, habremos de apresurarnos al máximo y tomar medidas.

Así pues, ¿van que vuelan, no?... Pues bien, señores, creo que en unos veinte días podremos hacer ya...

En este momento, sacudiendo el suelo, una lejana pero violenta explosión hace sobresaltar a los tres hombres.
BROUM
?
?
?

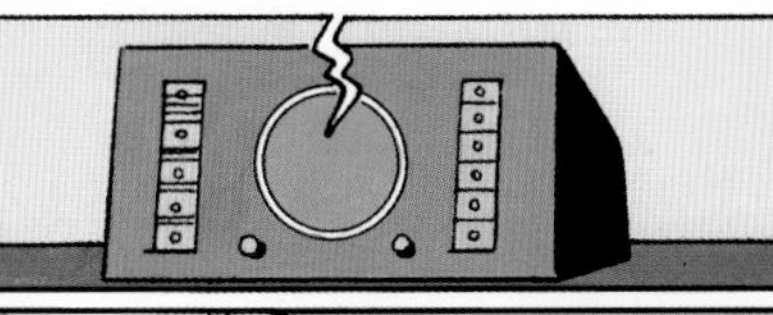

Apenas se han repuesto de su sorpresa, cuando les llega una alarmante noticia.
¡Atención! ¡Atención! Aquí Control Central. ¡Grave explosión en la sala de bombeo! ¡Bombas 5 y 6 inutilizadas!... ¡Corredor 3 inundado!... ¡Numerosos heridos!

Good Lord!!
¡Pronto! ¡Corramos!...

Instantes después, los tres hombres llegan al lugar del accidente.

Todo parecía normal y los C.C. acababan de hacer su ronda. Ahora bien, diez minutos más tarde una violenta explosión pulverizaba las bombas 5 y 6, haciendo brotar el agua con una fuerza inaudita y llenando de vapor abrasador la sala. Sin embargo, aún pude alcanzar el cuadro de mandos y bloquear las compuertas de llegada. No obstante, si no se hubiesen cerrado automáticamente los compartimentos estancos, ¡la sala entera estaría ahora inundada!

A propósito, ¿han vuelto a ver a la patrulla de los C.C. después de esto?
No.
Esto es muy extraño. Hemos de alertar al C.C.

¡Atención! ¿Control Central? ¿Es Vd, Manderton?... Aquí Mortimer.

¡No, profesor! Hace más de un cuarto de hora que tratamos de ponernos en contacto con ellos. Ya empiezo a inquietarme. ¿Perdón?... ¿Quién?... Ah, sí Mallow y uno nuevo llamado Harper.

¿Harper?... ¡Dios mío! ¿Por dónde han salido?
No me he fijado. Creo que se han ido por la galería 3.

¿Cómo?... ¿La galería inundada? ¿Podemos hacer algo?
De momento nada, sir. Las bombas están funcionando, pero hay que actuar con cautela.
¡Pobre Harper! Es culpa mía.
¡Nada se ha perdido aún! Quizá se encuentren bloqueados en una sección no inundada.
Son los azares de la guerra, Blake.

Tras haber dado las órdenes necesarias, sir William se despide de Blake y Mortimer.
Si hay novedades de Harper, se lo comunicaré inmediatamente. Por su parte, avísenme en cuanto Nasir haya regresado.
Muy bien, sir.

¡Vamos, reaccione, amigo mío! Enfrentémonos a este nuevo contratiempo.
Sí, tiene Vd. razón, Mortimer; no obstante, no puedo sacarme de la cabeza a ese pobre chico. Un accidente demasiado estúpido.
¡Ah! La sección técnica. ¿Y si echásemos una ojeada a la habitación de Harper?... Quizá ha dejado algún documento personal. No es probable, pero...

Blake se acerca a la puerta y llama.
¡Bell se sorprenderá!

Al no obtener respuesta, abre la puerta y entra.
Perdone mi intromisión Bell, pero...
Me parece que nuestro hombre tiene el sueño muy pesado.

Extrañado, se aproxima a la cama, y de pronto, inquieto...
¡Eh! ¡Bell! ¡Bell!... ¿Pero qué pasa?... Parec...

Levanta bruscamente el cobertor. Harper se halla tendido inerte, la cabeza envuelta con el vendaje de Bell.
¡Por todos los dioses!... ¡¡¡Pero si es Harper!!!

Un médico. ¡Pronto!... ¡Y sir William!
All right!

Instantes después, en la enfermería...
¡Atención! ¡Llaman al mayor urgentemente de la sección técnica, habitación 8!

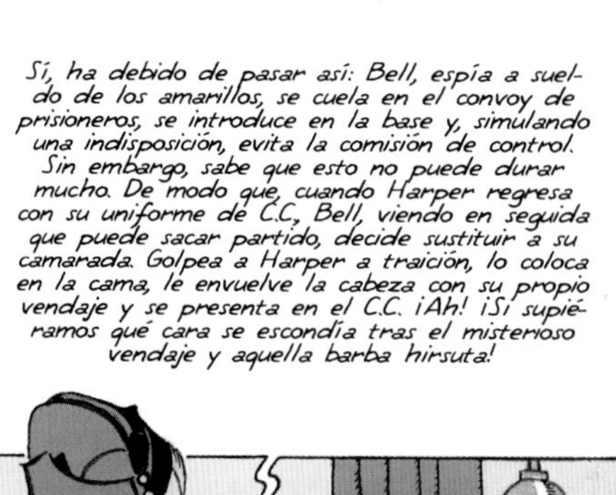

En espera de la llegada del médico, Blake y Mortimer inspeccionan rápidamente el lugar.
Sí, ha debido de pasar así: Bell, espía a sueldo de los amarillos, se cuela en el convoy de prisioneros, se introduce en la base y, simulando una indisposición, evita la comisión de control. Sin embargo, sabe que esto no puede durar mucho. De modo que, cuando Harper regresa con su uniforme de C.C., Bell, viendo en seguida que puede sacar partido, decide sustituir a su camarada. Golpea a Harper a traición, lo coloca en la cama, le envuelve la cabeza con su propio vendaje y se presenta en el C.C. ¡Ah! ¡Si supiéramos qué cara se escondía tras el misterioso vendaje y aquella barba hirsuta!

A propósito de barba, aquí se ha afeitado alguien precipitadamente. Vea, el jabón se ha secado en la brocha y la maquinilla aún está húmeda. Además, el desorden que...

La puerta se abre violentamente.

¡Mi capitán, se acaba de encontrar a Mallow en el fondo de una chimenea de aireación!

En este momento lo suben. Su estado es grave.
Good Lord!! ¡Otro! ¡Rápido, corramos, Mortimer!

¿Puedo interrogarle, doctor?
Sí, pero hágalo deprisa, necesita atención urgente.

¡Mallow!... Amigo mío, ¿puede decirme qué ha pasado?
¡Ah!... Capitán...

Tendido en una camilla, el infortunado Mallow es conducido a toda prisa a la enfermería.
¡Ah! ¡Ahí están!

Esforzándose, el desgraciado consigue pronunciar algunas palabras.
Ha... ha... robado... atomilita del arsenal. En la galería 3. Cayó un cartucho de su bolsillo. Yo... he intentado avisar. Pero me... me ha... ¡Ah!... Tengan cuidado. Cuid...

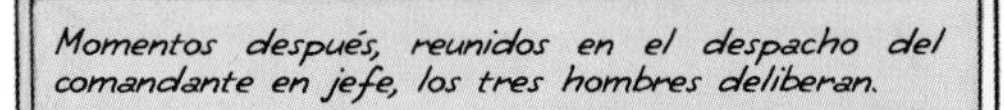
Momentos después, reunidos en el despacho del comandante en jefe, los tres hombres deliberan.

¡Así pues, ese maldito espía está ahí, en alguna parte esperando la ocasión para volar una u otra de nuestras instalaciones!... Veamos, Blake, ¿qué propone usted?
Sólo veo una solución. No siendo numerosos, no podemos dispersar nuestras fuerzas. Entonces, propongo que...

En este instante, se deja oír el altavoz.
¡Atención!... ¡Atención! Aquí puesto de vigilancia. El S2, navegando con un periscopio, señala su llegada y pide abertura de compuertas. Ah. ¡Alerta!... ¡Alerta!... ¡Escuadrilla enemiga a la vista! Se aproxima rápidamente.

¡Alerta!... Escuadrilla amarilla a la vista. Aviones torpederos. Se aproximan rápidamente. Han debido de ver la estela del periscopio. ¡Sí, exactamente! ¡¡¡Atención!!!
The Devil! ¡¡¡Sólo faltaba esto!!!

En efecto, el S2, sorprendido por un ataque fulminante, ve llover los torpedos a su alrededor.

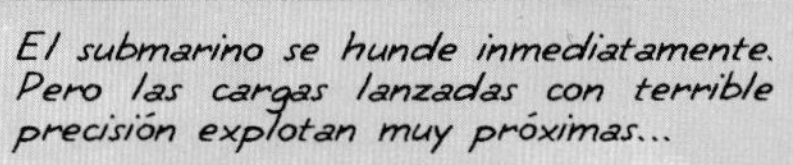
El submarino se hunde inmediatamente. Pero las cargas lanzadas con terrible precisión explotan muy próximas...

...y de pronto...
BANG

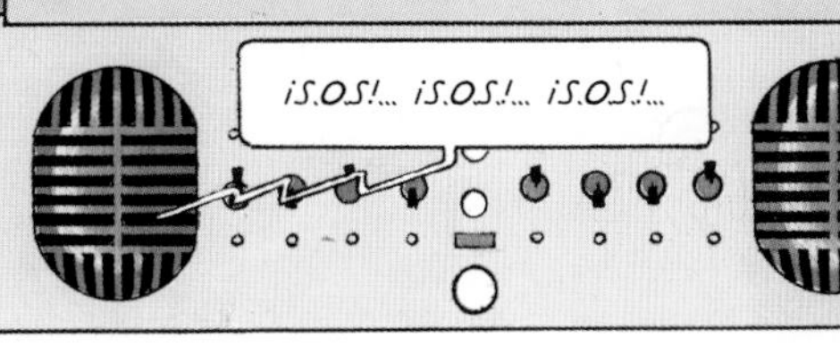
De repente, se oye el tan temido mensaje.
¡S.O.S!... ¡S.O.S!... ¡S.O.S!...

¡S.O.S!... Alcanzados en proa. Cámara de torpedos inundada... tocado fondo a 60 brazas. Escorados 32. Reserva de oxígeno: seis horas. Esperamos instrucciones.

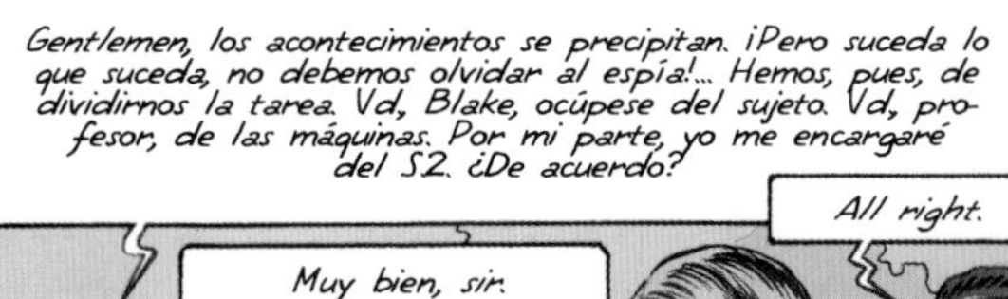
Gentlemen, los acontecimientos se precipitan. ¡Pero suceda lo que suceda, no debemos olvidar al espía!... Hemos, pues, de dividirnos la tarea. Vd, Blake, ocúpese del sujeto. Vd, profesor, de las máquinas. Por mi parte, yo me encargaré del S2. ¿De acuerdo?
All right.
Muy bien, sir.

¡Atención! ¡Atención! Aquí el capitán Blake. ¡Alerta general al cuerpo de control!... A todas las patrullas. Orden de tirar a dar.

¡Hola!... ¿Central?... ¿Es Vd, Bill? Aquí Mortimer. ¡Cuidado! Se espera un acto de sabotaje. No permita que nadie entre en la sala, ¿entiende? Nadie. ¿Cómo? ¿Qué ya lo sabe?...

Y momentos más tarde...

¡Atención! ¡Atención! ¡Aquí el comandante en jefe William Gray! ¡Alerta puesto de escafandras!... ¡Reunión inmediata del equipo en la cámara de inmersión!... Equipo de inmersión.

Claro, profesor. Hace un momento que un C.C. acaba de avisarme de su parte. Él mismo ha comprobado personalmente que todo estaba bien y que. ¿Perdón?... ¿Qué?... ¡¡¡Un espía!!!

Pero una explosión violentísima interrumpe bruscamente la comunicación y la base entera queda sumergida en al oscuridad.

¡Hola! ¡Hola!... ¡Bill! ¡Demasiado tarde!

Heavens! ¿Y si fuera?... ¡Hola! ¡Hola! ¡La central atómica!

Good Lord! ¡Cortado!... Pero... ¡Esto será una catástrofe!

¡Tengo que avisarles a toda costa! ¡Rápido, mi linterna!

El profesor se precipita afuera, pero un contramaestre acude a su encuentro.
¡Profesor, cuatro turbinas están hechas añicos!... ¡Sólo quedan la de la mina y la del taller mecánico!
Ordene poner en marcha los grupos electrógenos de seguridad, y empalme las turbinas que restan a las instalaciones de defensa.

Hallándose los ascensores bloqueados, Mortimer, linterna en mano, se introduce por las galerías en tinieblas...
¡Quiera el cielo que llegue a tiempo!

...y llega al fin a la barrera del sector atómico.
¡Alto!
¡Soy yo, Mortimer!

¡Dígame, teniente! ¿Ha intentado alguien entrar en el sector? Un C.C., por ejemplo. ¿No?...

Nadie, profesor. Además, el sector ha sido evacuado tras la segunda explosión. Sólo Trenter ha quedado de guardia junto a la caja de seguridad.
¡Ah! Respiro. ¡De todos modos, abran bien los ojos!

Pero mientras va caminando por las desiertas salas, Mortimer se siente invadido de pronto por una inexplicable aprensión.
Tendría que haber cogido mi automática.

Dominando el extraño temor que acaba de asaltarle, Mortimer, apretando el paso pronto llega al laboratorio de radioquímica donde la puerta entreabierta deja filtrar un rayo de luz rosada. Instintivamente, el profesor apaga la linterna.

Pero no ha dado aún cinco pasos cuando sus pies tropiezan con algo.
?

Dirigido su linterna hacia el obstáculo, Mortimer deja escapar un grito ahogado: su ayudante Trenter yace inanimado, la cara contra el suelo.
¡¡¡Trenter!!!

Súbitamente, un ligero ruido procedente del laboratorio le hace sobresaltar.
¡Allí hay alguien!

Acercándose con precaución, percibe, a la luz de una lámpara de petróleo, a un C.C. intentando abrir la caja de seguridad donde están encerrados peligrosos productos radiactivos.

Hell! ¡Si abre la caja estamos perdidos!... ¡Estoy desarmado, pero no importa!
Y arriesgando el todo por el todo, de un poderoso brinco salta sobre el hombre cogiéndole por el cuello.

Pero éste, rápido como un rayo, se agacha bruscamente y consigue desasirse, abandonado su traje entre las manos de su asaltante, quien, desconcertado...

...no tiene tiempo de reaccionar. Su adversario, el rostro amenazador, ya le hace frente pistola en mano.
¡Olrik!... ¡Vd.!... ¡Aquí!

Sí, yo mismo, querido profesor. Estaba empeñado mi prestigio y no he querido dejar a otro al cuidado de arreglar este asunto. ¡Ah! Bien que me la jugaron en Karachi, pero el arreglo de cuentas está ya próximo y voy a pagarles con la misma moneda, ¡y con intereses!...
26

Y ahora, manos arriba y nada de trucos, por favor. ¡Yo no soy el doctor Fo!... ¡Venga, atrás!... ¡Bien!

Manteniendo a Mortimer a raya, Olrik intenta abrir la caja.
Había agotado ya mi reserva de atomilita y me encontraba algo apurado, cuando me he acordado de que, para mis fines, ¡aquí guardan Vds. algo mucho más... eficaz!

26
E. P. JACOBS

Y ahora, profesor, manos arriba y nada de trucos, por favor. ¡¡¡No soy el doctor Fo!!!

En el mismo momento en que Mortimer sorprende a Olrik en el laboratorio, Nasir, habiendo terminado su misión, se presenta en el P.M. del capitán Blake, donde éste coordina la búsqueda.
¡Salam, sahib capitán!
Hello, Nasir! ¿Qué novedades hay?

Acabamos de constatar que un traidor ha conseguido deslizarse entre los C.C. El miserable ya ha logrado hacer saltar una parte de la central y sin duda se prepara para dar un nuevo golpe. Pero sigue, ¿qué más sabes?

Según las últimas noticias de Karachi, el coronel Olrik desapareció hace tres semanas.
¿Pero qué dices? ¿¿¿Olrik desaparecido???... Heavens! ¡Si fuese él!... Dime, ¿cómo es ese sujeto? ¿Alto?...

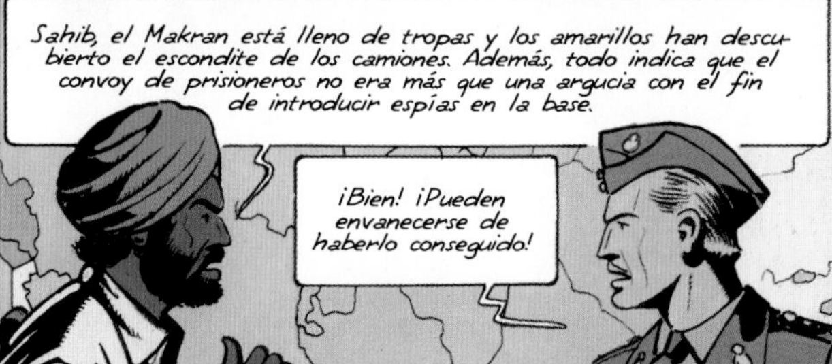
Sahib, el Makran está lleno de tropas y los amarillos han descubierto el escondite de los camiones. Además, todo indica que el convoy de prisioneros no era más que una argucia con el fin de introducir espías en la base.
¡Bien! ¡Pueden envanecerse de haberlo conseguido!

Sí, alto, moreno, un perfil de águila. Pero el sahib Mortimer le habría reconocido, mi capitán.
Sí, sin duda, pero justamente el profesor no asistió a la inspección de la otra noche. ¡Ah! Quiero salir de dudas.

¡Hola!... ¿Es Vd, amigo mío? ¡Ah!... ¿Y dónde ha dicho el profesor que iba?... ¿Al centro atómico? ¿Solo?... Bien.

¡Si Olrik está aquí, debemos temer lo peor! Rápido, Nasir, coge esta lámpara y corramos allá abajo. No sé por qué, pero la ausencia de Mortimer me inquieta.
Bien, mi capitán.

Pero mientras, Olrik ha conseguido abrir la caja blindada del laboratorio y...
¡Ajá! ¡Con esto, todo zanjado!
26

...habiendo cogido una serie de ampollas de vidrio que contienen sustancias radiactivas, se prepara ya a colocarse de nuevo su traje cuando...
¡Eh! Pero...

¿Y si liquidamos primero nuestro pequeño asunto?... ¿Eh?... ¿Qué le parece, querido profesor?
26

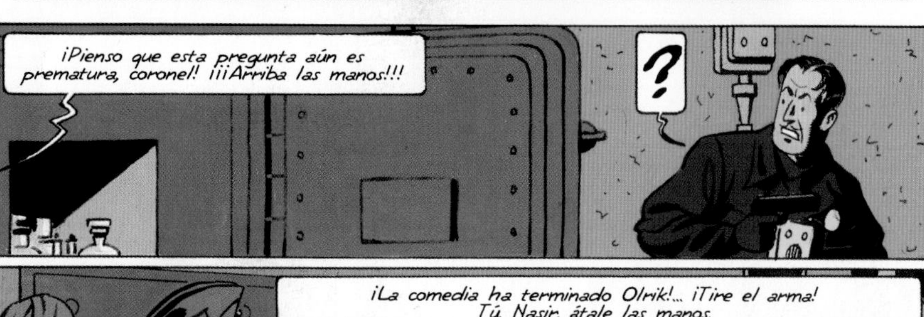
¡Pienso que esta pregunta aún es prematura, coronel! ¡¡¡Arriba las manos!!!
?

¡La comedia ha terminado Olrik!... ¡Tire el arma! Tú, Nasir, átale las manos.
¡¡¡Maldición!!!

By Jove! ¡A esto se llama llegar a tiempo, Blake! ¡Un minuto más y nuestro amigo me enviaba a reunirme con mis antepasados!

Mientras Nasir avanza hacia él con una cuerda en la mano, Olrik parece anonadado ante el cambio de situación.
¡A cada uno su turno, amigo!

Pero aprovechando el preciso instante en que Nasir se coloca delante de él, impidiendo a Blake utilizar su arma, empuja al sargento y salta de súbito hacia la mesa donde ha dejado las ampollas de mercurium...
¡¡¡Aún no me tienen!!!

...Y cogiendo una de ellas, planta cara resueltamente a sus adversarios.
¡Si alguien da un solo paso, rompo la ampolla!... ¡¡¡Y ya saben lo que eso significaría!!!

Olrik, brazo en alto, preparado para romper la frágil envoltura de vidrio, avanza amenazadoramente.
¡Suelte la metralleta!... ¡Vamos, todos atrás! ¡¡¡Despejen la puerta!!!

Dándose cuenta de las dramáticas consecuencias que inevitablemente seguirían a la ejecución de tal amenaza, los tres hombres obedecen.

Siempre blandiendo su ingenio diabólico, Olrik alcanza la puerta y se prepara para franquear el umbral, cuando...

...revolviéndose con rabioso gesto, lanza la ampolla en dirección al grupo.

El mortal proyectil pasa a unos centímetros por encima de la cabeza de Mortimer, quien sólo tiene tiempo de agacharse, y...

...atraviesa uno de los abiertos portillos de la pantalla de plomo tras la cual se efectúan los experimentos.
Sin dudar un segundo, Mortimer, de un empujón, cierra el batiente del portillo, aislando así el laboratorio.
CLAC

En el mismo momento, se encienden de nuevo la luz y se ilumina el laboratorio con su cruda luminosidad.
Olrik, viendo errado el golpe y a sus adversarios prestos a lanzarse sobre él, cierra la puerta tras de sí...

...y echa el cerrojo.
¡Oh! No irá muy lejos ahora que ha vuelto la luz y además...
¡¡¡Demasiado tarde!!!
¡Atención!... ¡Cuerpo de guardia!... Aquí Blake. Estamos encerrados en el laboratorio. Sí, eso es. Estén ojo avizor, un sujeto con el uniforme de los C.C. intentará salir del sector. ¡Vigilen todas las salidas y al menor signo de resistencia, disparen!

¡Sargento! ¡Alerte a todos los hombres disponibles!... ¡El espía se encuentra en el sector!... ¡Tres hombres conmigo, corro al laboratorio! ¡Rápido!
¡Muy bien, sir!

Minutos más tarde.
No, sir, no hemos visto a nadie venir hacia aquí.
Bien, no puede haber abandonado el sector atómico pues todas las salidas están vigiladas. ¡Regístrenlo todo, pieza a pieza!
Ese rufián estará escondido en algún rincón. De modo que esto es lo que haremos: Vd., Mortimer, ocúpese del laboratorio, controle y, eventualmente, neutralice los efectos radiactivos de la ampolla rota. Le enviaré ayuda. Nasir y yo vamos a unirnos a la búsqueda.
All right! Pero sean prudentes: si se ve acorralado, el muy bribón es capaz de todo. ¡Le conozco bien!

En pequeños grupos, el dedo sobre el gatillo, los soldados emprenden la inspección de los desiertos locales del sector atómico.
¡Abrid bien los ojos, muchachos!

Mientras, Olrik, que no ha esperado a sus perseguidores, ha abierto con su llave maestra la reja de una boca de aireación, se mete rápidamente por allí y, agarrándose a la escalera de hierro, empieza la escalada.
Ya veremos adónde nos lleva esto.

¿Es que no terminará nunca?
Las chimeneas, unidas entre sí por una red de galerías, forman un verdadero laberinto, y ya Olrik empieza a creerse perdido, cuando...
...de pronto, al doblar un recodo, percibe la difusa luz de una toma de aire.
¡Ah!

Y, acercándose sin ruido, echa una cautelosa ojeada a través de la reja del orificio.
¡El vestuario de escafandras!

Efectivamente, es el vestuario de escafandras, y en el mismo se halla un hombre ocupado en ponerse su traje de buzo mientras va protestando.
¿Será posible, hombre? ¡Apresurémonos! Y esta condenada hebilla que me hace la pascua...

Mientras, en el sector atómico, la búsqueda sigue en vano y Blake empieza a impacientarse.
Damn!... ¡¡¡No puede haberse evaporado!!!

De pronto, un ligero chirrido atrae la atención de Nasir.
CRRRSS

¡Sahib! ¡Mire!... ¡La reja está abierta!

Hell! ¡La chimenea de aireación!... No había pensado en esto. Claro, los C.C. tienen llave.

¡Pronto! ¡Corre a avisar al teniente! Que venga con media docena de hombres. Yo le espero aquí.
Bien, sahib.

Pero al quedarse solo, Blake no puede resistir la tentación de perseguir al fugitivo.
¡Cada minuto cuenta!... ¡Bah, da lo mismo! Ya me alcanzarán.

En el mismo instante, un jefe de sala entra a toda prisa en el vestuario de escafandras.
¡Pero hombre, O'Connel!... ¡Que sólo te esperamos a ti!

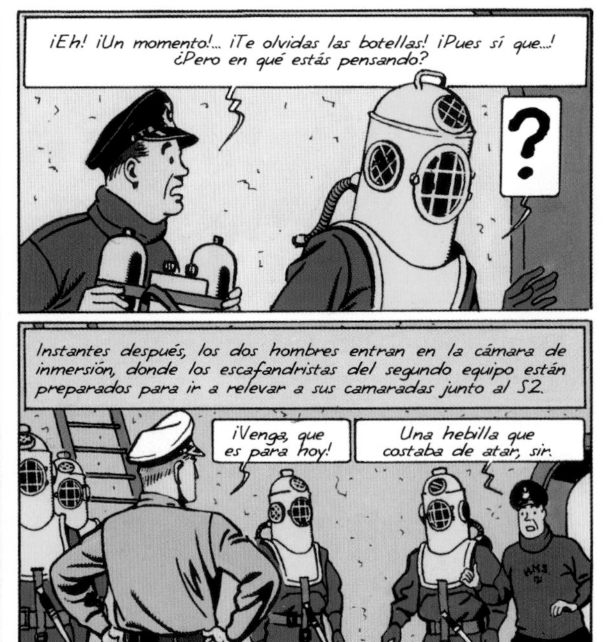
¡Eh! ¡Un momento!... ¡Te olvidas las botellas! ¡Pues sí que...! ¿Pero en qué estás pensando?
?
Instantes después, los dos hombres entran en la cámara de inmersión, donde los escafandristas del segundo equipo están preparados para ir a relevar a sus camaradas junto al S2.
¡Venga, que es para hoy!
Una hebilla que costaba de atar, sir.

Tras una rápida inspección de los equipos, la puerta se abre y los hombres penetran lentamente en el recinto de descompresión.
¡Adelante, muchachos!

Momentos más tarde...
Bien, abre la puerta del estanque.
Presión normal, sir.

Entre tanto, Blake, gracias al rastro dejado por Olrik en el polvo, llega también a la toma de aire del vestuario.
¡Luz!... Avancemos prudentemente.

La reja no está cerrada. Entonces es aquí.

¡Nadie!... No obstante, él ha salido por aquí, de esto no hay duda. ¿Y luego? ¡Ah! ¡Veamos los dormitorios! Quizá...

Blake da un paso adelante, pero una tira de cuero que hay en el suelo se le enreda en el pie al pasar.
?

Ahora bien, con lo que el pie de Blake se acaba de enganchar no es otra cosa que la correa del aparato de radio de los C.C.
¡¡¡Un "talkie"!!! Entonces. ¡Eh! ¿Qué hay bajo este banco?... Veamos.

Blake ha percibido una especie de fardo tapado con un cobertor: levanta éste por una punta y deja escapar un grito de estupor: ¡Debajo hay un hombre!
¡Por todos los diablos!

Mientras, los escafandristas han penetrado en la cúpula de inmersión. Tras haber conectado sus proyectores, descienden por los pozos que dan acceso a la galería sumergida que conduce al mar.

Blake, lanzándose fuera del vestuario, interpela a un hombre...
¿Ha de salir ahora alguna partida de buzos?
Sí, sir. El segundo equipo está reunido en la cámara de inmersión.
...y luego se precipita a la cámara de inmersión.
Capitán, ¿dónde están los hombres del segundo equipo?
Eeh. ¡Ya se han ido, sir!

En este preciso momento, los escafandristas, saliendo de la galería sumergida, entran en el mar.

En pocas palabras, Blake pone al corriente al capitán encargado de la inmersión.
Por las galerías de aireación, el espía llega al vestuario, sorprende y aturde al hombre que se preparaba. ¡Y toma su lugar en el equipo!
Hell! ¡¡¡Qué audacia!!!

Vamos, no hay instante que perder. Rápido, un equipo y un aquatic gun.
¡En seguida, sir!
El tiempo apremia, en efecto, pues Olrik, que se las ha arreglado para cerrar la marcha, se va distanciando poco a poco y, dejando a sus compañeros seguir la ruta hacia el S2, se desvía bruscamente y empieza la ascensión de la pendiente que lleva a la orilla.

Entre tanto, Blake, equipado, se prepara a entrar en el recinto. Mientras que Nasir, que ya ha llegado también, intenta en vano persuadirle para que espere una escolta.
Imposible, nos lleva ya demasiada ventaja. Avisa a sir William y al profesor.
A sus órdenes, sahib... ¡y que Alá le proteja!

Poco después, Blake sale a su vez de la base y se interna en el océano.
¡Es inútil buscar por la parte del S2! Probablemente tratará de ganar la costa subiendo desde el fondo. ¡Adelante!

El capitán escala la accidentada cuesta y, tras apagar su proyector, espera en una especie de promontorio, escrutando los tenebrosos alrededores.
Por fuerza tendrá que encender su linterna de un momento a otro.

De pronto, a unos treinta metros, ¡brilla una luz en el fondo de una depresión!... Pero, bruscamente, esa luz, agitada por frenéticas sacudidas, barre de uno a otro lado las rocas circundantes.
¿Estará haciendo señales?

Asombrado e intrigado, Blake, dejando precipitadamente su observatorio, se acerca a la depresión pistola en mano, y queda petrificado por el horror ante el espectáculo que se ofrece a su vista.

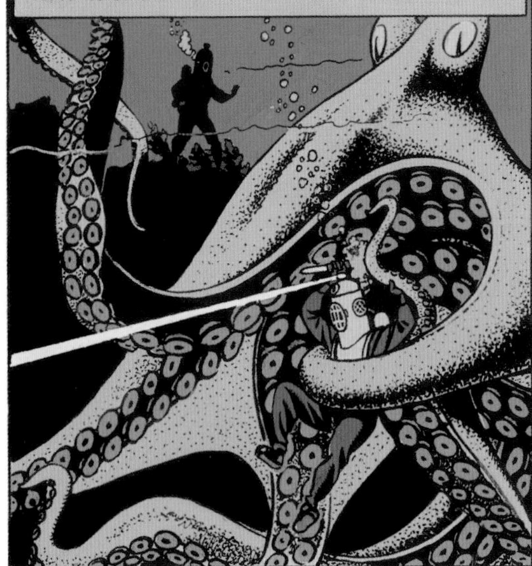
Ante él, en un bajo fondo rocoso, Olrik, con el puñal en la mano, en medio de una horrorosa maraña de tentáculos, se debate contra un gigantesco calamar.

Sin titubear, Blake se mete de un brinco en la horrible mezcolanza y, apuntando a los enormes ojos glaucos, acribilla al monstruo con su aquatic gun.

El cefalópodo, herido sin duda en un órgano vital, deshace en el acto su mortal abrazo y se aleja desprendiendo una espesa nube de tinta.

Temiendo una nueva traición, Blake avanza hacia Olrik, tendido en la arena, pero éste, agotado, deja caer el puñal y hace señales de que se rinde.

Mientras, en la base, Mortimer, alarmado, se prepara para partir a su vez con algunos hombres en busca de su amigo.
¡¡¡Irse solo, qué imprudencia!!!

Pero ya Blake y su prisionero vuelven lentamente a la base.

Mas al atravesar un amontonamiento de rocas y conchas, el capitán siente su pierna atrapada bruscamente como en un tornillo. Una concha enorme acaba de hacer presa en su pie.

Perdiendo el equilibrio, Blake cae de espaldas, y en seguida se apresta a disparar al intersticio de las valvas del molusco, ¡pero comprueba con angustia que su arma está descargada!

Olrik, al no ver el rayo del proyector de Blake, se vuelve, reparando en el inglés caído en tierra.
?

Luego retrocede rápidamente y se aproxima riéndose a su adversario inmovilizado.
¡Ajajá! ¡Te tengo bien atrapado, mi estimado capitán!

Y, asiendo de súbito el tubo de entrada de aire, se esfuerza en desprenderlo, mientras que el infortunado Blake, con la pierna sujeta por la bivalva, intenta desesperadamente defenderse.

Exasperado por la resistencia de su adversario, Olrik acaba por conseguir estropear la llegada del aire del aparato respiratorio y Blake empieza a desfallecer. Pero el miserable interrumpe bruscamente su siniestra tarea. Unas luces se acercan.
¡Infiernos! ¡Ya están aquí! ¡Huyamos!

En efecto, Mortimer y sus hombres, que avanzan hacia la costa, han visto los haces de los proyectores.
¡Allí!
Abandonando a su víctima, que se ahoga, Olrik, sin esperar más, rompe la bombilla de Blake, apaga su linterna y emprende la huida.

Pero los salvadores ya están orientados. Empuñan sus aquatic Guns y se lanzan por una ruta sembrada de obstáculos.

Poco después llegan al lugar del drama, donde yace Blake, inanimado.
¡¡¡Cielos!!!

Socorriendo de inmediato al desgraciado, los buzos consiguen soltarle y arreglar su aparato de respiración, mientras que, comprendiendo la inutilidad de una azarosa persecución...

...Mortimer da orden de regresar a la base a toda prisa.
¡Nos volvemos a encontrar!

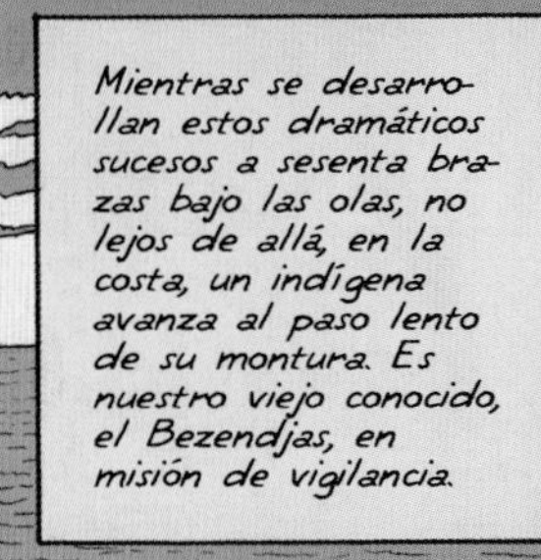
Mientras se desarrollan estos dramáticos sucesos a sesenta brazas bajo las olas, no lejos de allá, en la costa, un indígena avanza al paso lento de su montura. Es nuestro viejo conocido, el Bezendjas, en misión de vigilancia.

¡Una cabaña de pescadores!

La salam sea contigo, pescador. ¿Puedes albergarme por esta noche?
Sé bienvenido a mi humilde morada, Bezendjas.

Y mientras cae la noche, los dos hombres, fumando, charlan junto al fuego.
Así, ¿estás satisfecho de la vida que llevas en este rincón perdido?
La pesca es abundante y el sitio tranquilo. Pero la próxima luna ya no me encontrará aquí.
¡Vaya! ¿Y eso por qué? ¿Será tal vez el ruido de los aviones de reconocimiento lo que te asusta tanto?
No, me marcho porque estas aguas están encantadas. A veces se ven extrañas luces dentro del mar.

Esta misma tarde, se han oído unos espantosos rugidos en las profundidades; la tierra ha temblado y, allí abajo, alrededor de esa roca solitaria, he visto agitarse el agua furiosamente.
Vaya, vaya.

Mientras, Blake, que ha sido llevado a la base y que gracias a los cuidados del mayor médico ha conseguido recuperarse, participa en el Consejo de Estado Mayor presidido por sir William.
Está bien claro que Olrik va a presentarse aquí con toda la potencia de ataque de los amarillos.
¡De eso no hay duda! Y ahora que la tripulación del S2 está a salvo, concentrémonos en la base.

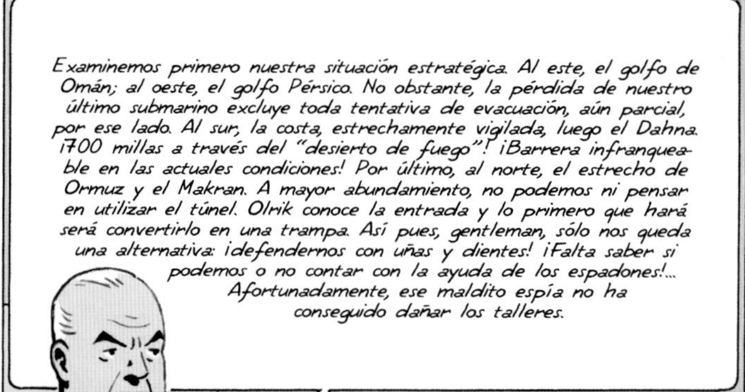

Examinemos primero nuestra situación estratégica. Al este, el golfo de Omán; al oeste, el golfo Pérsico. No obstante, la pérdida de nuestro último submarino excluye toda tentativa de evacuación, aún parcial, por ese lado. Al sur, la costa, estrechamente vigilada, luego el Dahna. ¡700 millas a través del "desierto de fuego"! ¡Barrera infranqueable en las actuales condiciones! Por último, al norte, el estrecho de Ormuz y el Makran. A mayor abundamiento, no podemos ni pensar en utilizar el túnel. Olrik conoce la entrada y lo primero que hará será convertirlo en una trampa. Así pues, gentleman, sólo nos queda una alternativa: ¡defendernos con uñas y dientes! ¡Falta saber si podemos o no contar con la ayuda de los espadones!... Afortunadamente, ese maldito espía no ha conseguido dañar los talleres.

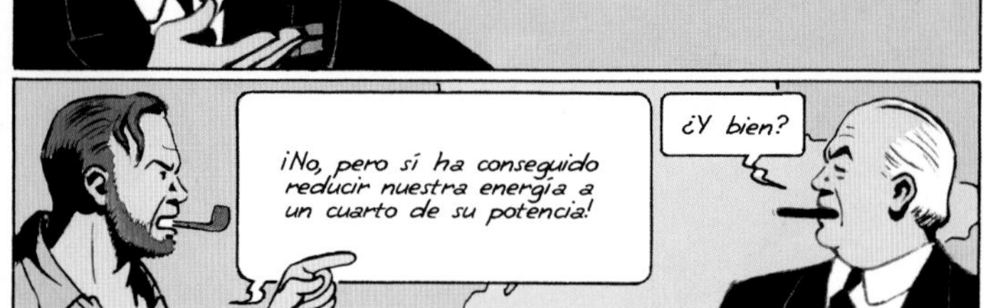

¡No, pero sí ha conseguido reducir nuestra energía a un cuarto de su potencia!
¿Y bien?

Como Vd. sabe, el Espadón ha sido concebido para funcionar con un dispositivo robot; ya tenemos una escuadrilla en la cadena de montaje preparada para recibir ese equipo, pero desgraciadamente, la puesta a punto de este último trabajo es lenta y laboriosa, y aún se tardará en terminarla. En consecuencia, propongo reemplazar el mando teledirigido por un puesto de piloto normal y aunar todos nuestros esfuerzos para la puesta a punto de dos espadones, que asumirán la peligrosa misión de contener el primer ataque. Mientras, iremos terminando los demás aparatos de la escuadrilla y los lanzaremos a la lucha a medida que estén listos. ¡Sin embargo, debo advertirles que será muy arriesgado e imposible de prever lo que pueda sucederle a quien pilote el primer aparato!

Debemos correr el peligro, no tenemos otra alternativa. Sir, yo estoy dispuesto a pilotar el primer Espadón.
Y yo el segundo.
All right, gentlemen, no esperaba menos de Vds. ¿Cuánto cree que falta para dejar los primeros aparatos a punto para el combate?

Salvo imprevistos, un mínimo de treinta horas. ¡Si es que disponemos de este tiempo!

¡Dispondremos!... Es casi media noche. Pasado mañana, a las seis de la mañana, los dos primeros espadones entrarán en acción. ¡Será el fin o el principio!... ¡A trabajar, profesor, zafarrancho de combate! ¡La libertad del mundo depende de nosotros, gentlemen!
¡Cuente con ello, sir!

¡Atención! ¡Atención! ¡A todos los sectores! ¡Alerta general!... ¡Todos a sus puestos de combate!... ¡Preparen dispositivos de seguridad!... ¡Atención! ¡Atención!... ¡Alerta general!...

Mientras tiene lugar esta importante reunión, el Bezendjas, intrigado por las singulares palabras del pescador, decide acompañarlo hasta la playa.
Entonces, ¿es aquella roca la que te inquieta?

Y de pronto, por encima del ruido del mar, a los dos hombres les parece oír un largo lamento, que, tras elevarse se apaga bruscamente.
¡Que Alá nos proteja! ¡¡¡Ya vuelven!!!
¡Quieto, viejo loco!... Alguien ha llamado.

Abandonando a su atemorizado compañero, el Bezendjas, saltando de roca en roca, se precipita hacia donde venían los gemidos.
¡Un buzo!
¡Vigila!

El Bezendjas se inclina sobre el hombre y, al claro de luna, por la destrozada portilla de la escafandra, reconoce con estupor la cara de su jefe, el coronel Olrik.
¡¡¡El coronel!!!

Unas horas más tarde...

Mientras que dentro de la base reina una febril actividad...
Levantadme un poco más ese panel. Conviene despejar la delantera lo más posible a fin de obtener el máximo de visibilidad.
Comprendido, profesor.

...En la Central de Información, cerebro de la base, donde sir William y Blake coordinan la defensa...

Colocado el dispositivo de seguridad, sir.

Muy bien, Steve.

Y en la cabaña del pescador, donde ha sido llevado Olrik, el Bezendjas observa ansiosamente el rostro del coronel tras horas de esfuerzo por sacarle de su desvanecimiento. De pronto, éste emite un profundo suspiro y abre los ojos.
¡¡¡Al fin!!! ¡Alá sea loado!

¿Cómo se encuentra, sahib?... Soy yo, Razul, su fiel servidor.
¡Ah! ¡El Bezendjas! ¿Cómo he llegado hasta aquí?...

Mientras el Bezendjas explica brevemente al coronel las circunstancias que le han llevado a descubrir el cuerpo inanimado de su jefe, Olrik se esfuerza penosamente en juntar sus recuerdos.
...Al ver la portilla de la escafandra hundida, temí lo peor, sahib.
Debí de extraviarme y erré largo tiempo en la oscuridad. Ya había perdido toda esperanza cuando llegué a la superficie, pero entonces me faltaba el aire. Me derrumbé sobre una roca y la rotura de la portilla me suministró aire. Ya no...

Pero. ¡Rayos! ¿Cuánto tiempo llevo desvanecido?

¡Cuatro horas, sahib!

¡Por mil diablos! ¡Se nos van a escapar!... ¿A qué distancia se encuentra el puesto más cercano?
A noventa millas, sahib.

¡Bien! Te presentarás allí con un mensaje para el comandante, con orden de telegrafiarlo a Karachi. ¡La base ya es nuestra!... ¡Hay que alertar a todas las fuerzas disponibles! Yo esperaré aquí. ¡Pero por el infierno, date prisa!
Cuente conmigo, sahib.

Un cuarto de hora después, cuando en oriente el cielo empieza a palidecer, el Bezendjas, llevando el mensaje, se aleja al trote ligero de su montura.

Se levanta el día y pasan las horas, demasiado lentas para Olrik, quien, completamente restablecido, no puede dominar su impaciencia.
¿Pero qué hacen?... ¡Hace ya más de diez horas que se fue!

Entre tanto, sus adversarios también se hallan impacientes, mientras los radares de vigilancia aérea y terrestre dan vueltas sin parar en lo alto del roquedal, también están a la escucha, bajo el mar, los detectores ultrasónicos.

Mas, hete aquí que, sobre la línea luminosa de la pantalla del radar de vigilancia aérea, el operador de turno descubre, súbitamente, la aparición de una pequeña rotura dentada.

¡Atención! ¡Atención!... ¡Aviones a 98 millas al nordeste!...

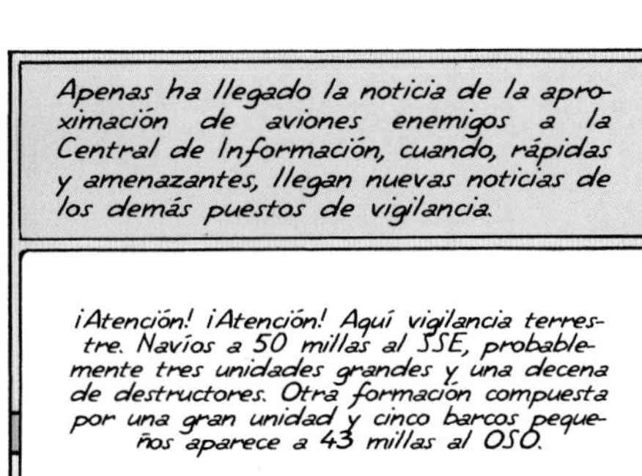
Apenas ha llegado la noticia de la aproximación de aviones enemigos a la Central de Información, cuando, rápidas y amenazantes, llegan nuevas noticias de los demás puestos de vigilancia.
¡Atención! ¡Atención! Aquí vigilancia terrestre. Navíos a 50 millas al SSE, probablemente tres unidades grandes y una decena de destructores. Otra formación compuesta por una gran unidad y cinco barcos pequeños aparece a 43 millas al OSO.

Vienen de Mascate, sin duda.
Y los otros de Bahrein.

¡Atención! ¡Atención! Aquí vigilancia submarina. El ASDIC* señala como mínimo una decena de submarinos a 34 millas al SE y tres o cuatro más a 39 millas al ONO.
¡Atención! ¡Atención! Aquí vigilancia aérea. Gran formación a 35 millas al ESE. Parece dividirse en dos grupos. Uno de ellos oblicuaría hacia el NNO...
...¡Para cortarnos la retirada por el Makran, claro!... Bien, la situación se presenta tal y como la habíamos previsto.
Exactamente, sir. Con su permiso, voy a pasar una última inspección.

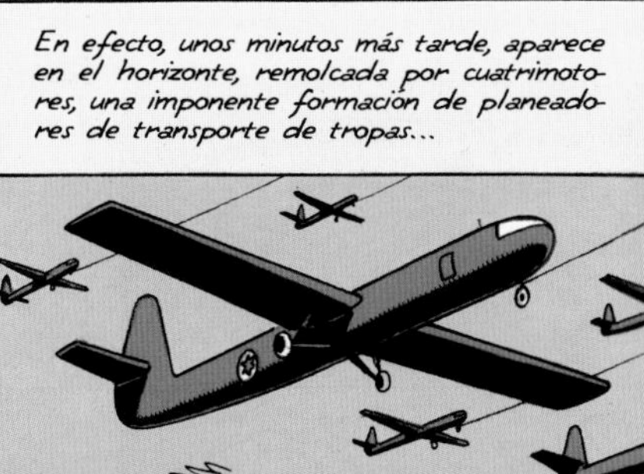
En efecto, unos minutos más tarde, aparece en el horizonte, remolcada por cuatrimotores, una imponente formación de planeadores de transporte de tropas...

...que, uno tras otro, aterrizan luego sobre la playa. Olrik, que se ha precipitado hacia los recién llegados...

...toma en seguida contacto con el comandante de las tropas aerotransportadas.

Coronel, por orden expresa de su Majestad Imperial, todas las fuerzas disponibles han sido puestas a sus órdenes, bajo su mando directo.

General, soy muy sensible a tal honor, y créame que el Emperador no se arrepentirá de haber depositado su confianza en mí. ¡¡¡Esta vez les tenemos!!!

Mientras que en la orilla las tropas toman rápidamente posiciones frente a la base...

...Olrik expone su plan de ataque a los oficiales de su Estado Mayor.
¿Así que es aquel peñón de allá abajo el que hemos de asediar? ¡Hum! ¡No lo veo demasiado fácil!
¡Sí! Es verdad, la empresa es difícil, pero la baza vale la pena. Nada menos que... ¡¡¡La guarida del Espadón!!!

¡Observen el mapa, señores!... Aquí, en el centro del dispositivo, tenemos la base; el peñón aislado a una media milla del mar. Al sur, desplegada a lo largo de la costa, se le enfrenta nuestra artillería. Al otro lado del estrecho, la salida del túnel, vigilada ahora por nuestras tropas del 2. grupo aerotransportado. Luego, a este y oeste, la flota y los aviones navales. Consecuentemente, podemos decir que la base se halla prácticamente a nuestra merced. Tan pronto como la Marina haya alcanzado el lugar que le ha sido asignado en el dispositivo de ataque, pasaremos a la acción.

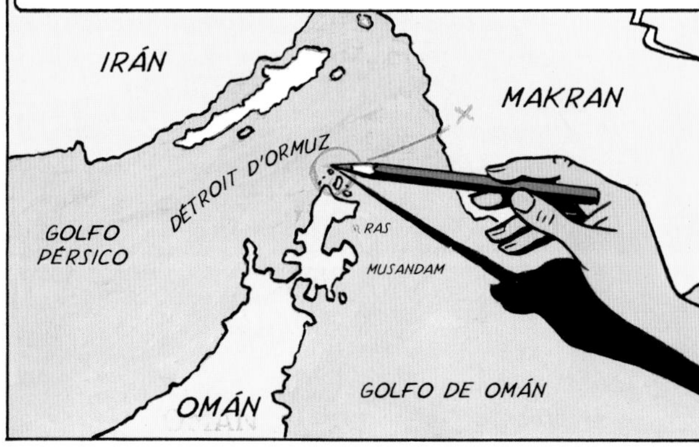
IRÁN
MAKRAN
DÉTROIT D'ORMUZ
GOLFO PÉRSICO
RAS
MUSANDAM
OMÁN
GOLFO DE OMÁN

Y en vez de arriesgar un ataque en terreno descubierto, ¿no sería mejor espera a que le 2. batallón hubiese penetrado en el túnel?
No, porque ese batallón se verá retrasado por enormes dificultades: arenas movedizas, pasadizos, puertas blindadas que se tendrán que dinamitar, etc. Y cada hora que pasa es un riesgo para conseguir el premio a nuestros esfuerzos, o sea: ¡el Secreto del Espadón!... Y ahora, caballeros, permitan que vaya a vestirme con el uniforme digno de mi rango.

*ASDIC: Allied Submarine Detection Investigation Committee

Dos horas después, habiendo Blake finalizado esa última inspección, hace su informe al comandante en jefe, sir William Gray.
He comprobado ya todo el dispositivo y ahora estoy en el puesto de vigía. En todos los niveles la moral es excelente y cada uno espera la embestida con calma y resolución.

En los pañoles, cuyas reservas nos permitirán resistir varias semanas, las municiones están preparadas.

En las casamatas, la artillería sólo espera una orden para entrar en acción tan pronto como sean abiertas las puertas del camuflaje.

Mientras que cada tronera se encuentra provista de ametralladoras, lanzacohetes, bazucas, etc...

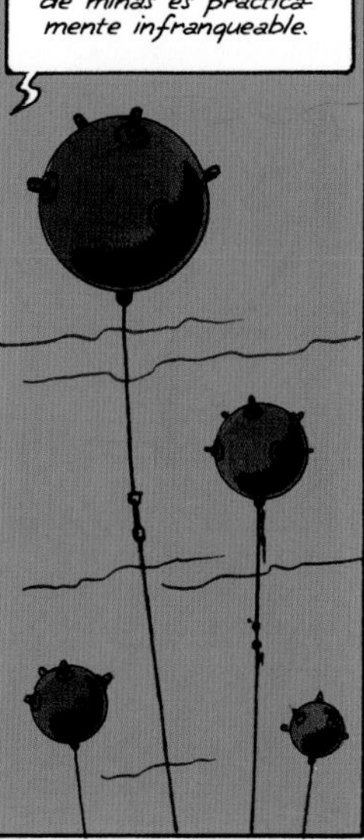
Por otra parte no debemos temer un eventual ataque submarino, nuestra barrera de minas es prácticamente infranqueable.

Finalmente, en lo concerniente al sector Makran, el túnel se halla completamente sellado. Los rastrillos y puertas estancas cerrados, y el dispositivo B listo para funcionar. Según las últimas apreciaciones, los amarillos atravesarían las arenas movedizas con unas pérdidas de...

¿Cómo?... ¿La flota amarilla a la vista?... ¡Bien, ahora voy!

Y momentos después...

¡¡Humo a la vista en el 262!!
¡Y aquí llegan los otros!... ¡Perfecto!

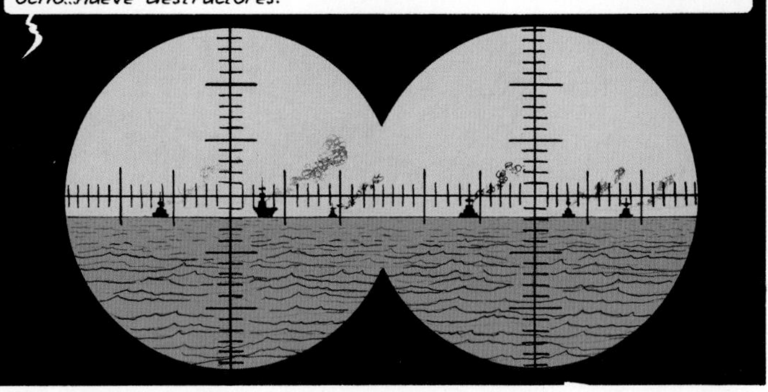
¡Sí, se trata de ellos!... Un portaaviones. ¡Dos cruceros y siete... ocho...nueve destructores!

Pero la llamada de un centinela interrumpe bruscamente el comunicado.
¡Alerta! ¡Humo a la vista en el 98!

¡¡¡En la costa, parece que la artillería se prepara para entrar en acción!!!

¡Atención! ¡Atención! Aquí Central de Información. ¡El puesto de vigilancia Makran señala que el enemigo se encuentra en este momento ante la entrada N1!

Well!... ¡Que eclipsen los radares y se despejen las troneras!... Blake, avise a Mortimer y vea después de conectarme con la red general. Me gustaría dirigir unas palabras a los hombres antes de la acción.
Bien, sir.

¡Hola! ¡Mortimer, va a empezar la fiesta! Haremos lo imposible para mantener la posición. Por su parte haga cuanto pueda.

All right!... Cuente con nosotros, old boy. ¡¡¡Y mientras, hágales bailar!!!

¡Boys, ha llegado el momento de pasar a la acción!... Vuestros camaradas de la sala de montaje finalizan en este momento...

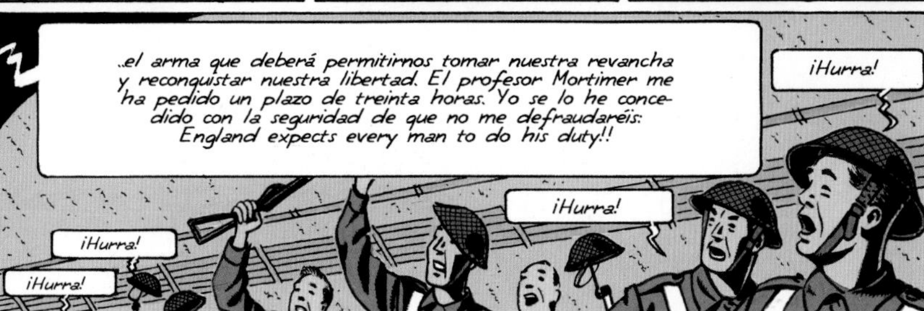
...el arma que deberá permitirnos tomar nuestra revancha y reconquistar nuestra libertad. El profesor Mortimer me ha pedido un plazo de treinta horas. Yo se lo he concedido con la seguridad de que no me defraudaréis: England expects every man to do his duty!!
¡Hurra!
¡Hurra!
¡Hurra!
¡Hurra!

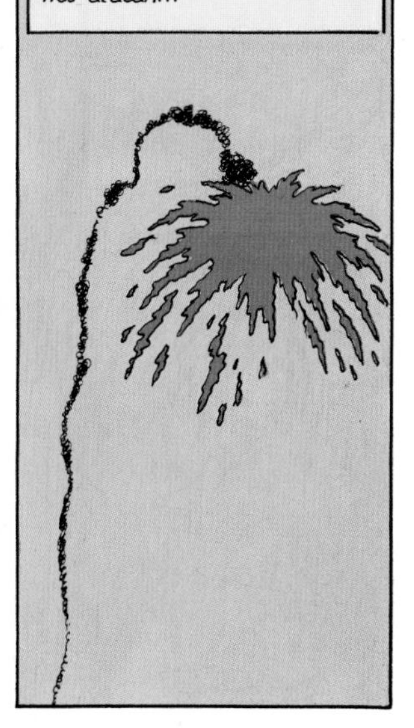
¡En el mismo momento, un cohete rojo, disparado por los asaltantes, sube directo al cielo y explota!... ¡¡¡Los amarillos atacan!!!

Seguidamente, los navíos que se han acercado a menos de tres millas abren fuego con sus piezas de grueso calibre.

Les siguen de inmediato las baterías terrestres con sus lanzacohetes, los cuales empiezan a vomitar sus ingenios de muerte.

Y mientras desde los portaaviones, cazas y bombarderos se elevan dirigiéndose hacia el peñón como una nube de buitres...

...los submarinos, cargados de minas magnéticas y torpedos, se deslizan hacia la gran puerta de la base.

Asaltada a la vez por todas partes, la gran roca, desapareciendo bajo una lluvia de bombas cohetes y obuses, pronto no es más que una gigantesca hoguera.

¡Entre tanto, al acecho tras sus piezas, los defensores esperan!... Pero, de pronto...
Hell! ¡¡¡Obuses fumígenos!!!

Luego, tras treinta minutos de bombardeo, cesa el tiroteo tan bruscamente como ha empezado.
Ya basta por el momento. Envíen las barcazas de asalto.

Protegidos por la cortina de humo y apoyadas por los destructores, las barcazas de asalto, atestadas de hombres, se lanzan sobre las olas.

Con los ojos pegados a los binoculares, sir William trata en vano de horadar la niebla artificial.
Damned! ¡Imposible ver nada a través de esta condenada niebla!

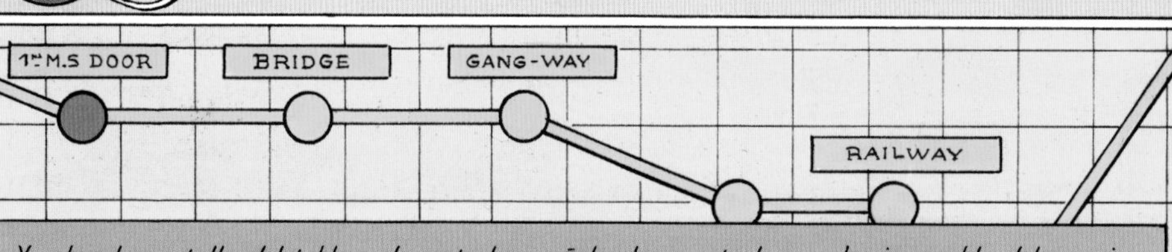
¡Atención! ¡Atención! Aquí Central de Información. ¡¡¡Vigilancia Makran indica que los amarillos, habiendo franqueado la puerta 1, han penetrado en la caverna y avanzan en dirección al puente!!!
1st M.S DOOR
BRIDGE
GANG-WAY
RAILWAY
Y sobre la pantalla del tablero de control, se señala claramente la marcha inexorable del enemigo.

¡Bien!... P.M. a Vigilancia Makran. Dispositivo B, preparados. P.M. a Artillería. ¿Listas las piezas?... Bien.

Si se levantase algo de viento. ¡Ah! ¡Ahí están!... ¡A dos cables de distancia!... ¡Blake, atención!...

¡Fuego!

Toda la artillería de la base se desencadena a la vez, fulminadas a bocajarro, las barcazas se hunden con sus tripulaciones, y varios destructores, que se han adelantado imprudentemente, se retiran seriamente dañados.

La aviación engañada por la falta de defensa antiaérea y que se halla en vuelo rasante alrededor del peñón, es cogida súbitamente por sorpresa por la D.C.A., que dispara cohetes magnéticos...

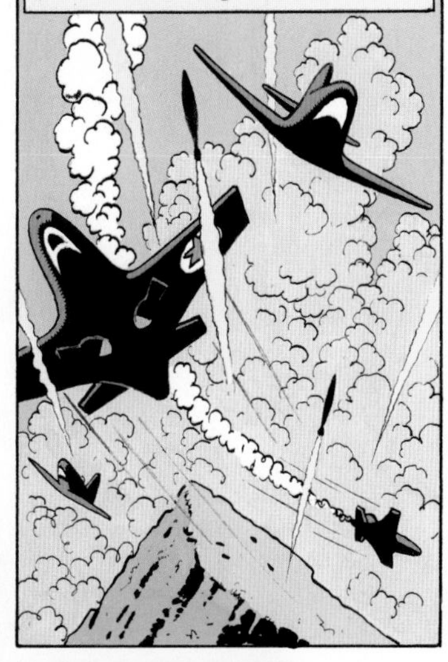

...mientras que, por su parte, los submarinos acaban de dar de lleno con los campos de minas que defienden las proximidades de la gran puerta del recinto.

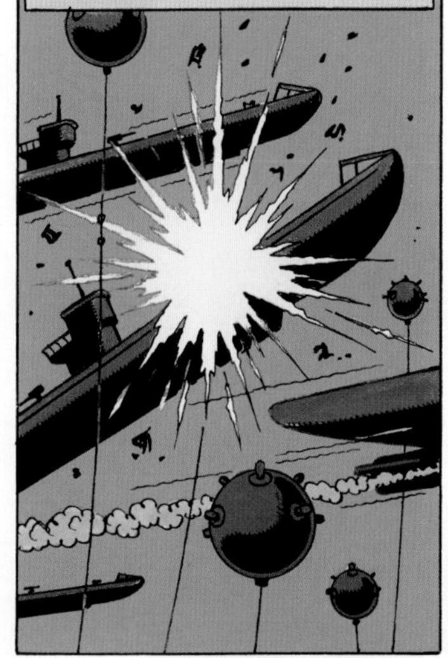

Las terribles bajas causadas en las tropas de asalto debido a la súbita y violenta respuesta frenan en seco el ímpetu de los amarillos

¡Estamos sufriendo enormes pérdidas, coronel!
¡Veamos el asunto con sangre fría, señores! Piensen que atrayendo la atención de los ingleses sobre este sector, facilitamos grandemente la labor de las tropas que avanzan en este momento por el túnel.

En efecto mientras en el mar la batalla causa estragos, los amarillos, que ya han hecho volar la primera puerta, se disponen a atravesar ahora el puente que pasa por encima del abismo de las arañas.

Pero el oficial que va en cabeza, al cortar sin darse cuenta el rayo invisible de un ojo eléctrico de cesio, desencadena el dispositivo B, que precisamente acaba de ser conectado por el puesto de vigilancia Makran y...

1st MS DOOR

BRIDGE

GANG-WAY

RAILW

..de pronto, con un rayo cegador, seguido de una explosión espantosa, el arco entero del puente vuela en pedazos precipitando a los amarillos al abismo y pulverizando todo el paso, mientras que enormes masas rocosas arrancadas por la violencia de la deflagración...

...van a dar contra los supervivientes, que se encuentran en las galerías y retroceden a la desbandada.

Al tener conocimiento del desastre, Olrik, ardiendo de ira, da la orden de batirse en retirada, y así...

¡Atención! ¡Atención! ¡Aquí Central de Información! ¡Los amarillos se repliegan en toda la línea!...

Boys!... ¡El marcador está 1 a 0 a favor de los blancos!
Well!... ¡Pero espera el segundo tiempo!

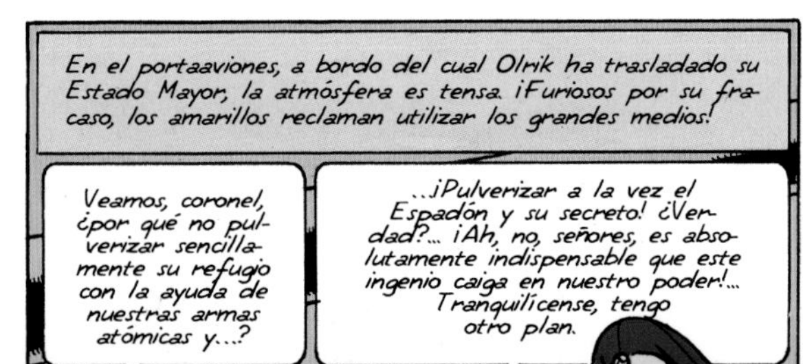
En el portaaviones, a bordo del cual Olrik ha trasladado su Estado Mayor, la atmósfera es tensa. ¡Furiosos por su fracaso, los amarillos reclaman utilizar los grandes medios!
Veamos, coronel, ¿por qué no pulverizar sencillamente su refugio con la ayuda de nuestras armas atómicas y...?
...¡Pulverizar a la vez el Espadón y su secreto! ¿Verdad?... ¡Ah, no, señores, es absolutamente indispensable que este ingenio caiga en nuestro poder!... Tranquilícense, tengo otro plan.

Estas armas no han sido utilizadas hasta ahora, ¡pero les doy mi palabra de que antes de que nazca el nuevo día, la bandera imperial ondeará sobre ese peñasco orgulloso!

¡Oh! ¡Esto sólo es el primer tanteo!... ¡Puede apostar su último penique a que los amarillos nos preparan alguna sorpresa para esta noche!... ¡De modo que, ahora más que nunca, contamos con el Espadón!

Radio, tome nota y transmita en código la siguiente orden: "Coronel Olrik, comandante en jefe del cuerpo expedicionario a bordo del portaaviones Kang-Hi a general Taksa, jefe arsenal secreto, Lhasa. Stop. Envíe con toda urgencia dos toneladas torpedos G.X.3. Stop. Misión especial, prioridad absoluta."

Mientras, en la sala de montaje...
Sí, amigo mío, salvo accidente, estaremos listos en el plazo previsto. ¡Aunque, por otra parte, su victoria los ha dejado helados!

Cae la noche y pasan lentamente las horas preñadas de amenazas, mientras que, en los dos bandos, detectores, radares y periscopios escudriñan atentos la oscuridad.

De vuelta tras una inspección por las baterías, sir William y Blake penetran en el puesto de vigía.

¿Alguna novedad, Adams?

No, sir, sólo la llegada, hace una hora, de tres bombarderos procedentes de ENE que han aterrizado sobre el Kang-Hi. Después de eso, ¡nada más!

Hum, demasiada calma. Esto no me gusta.

Pero en el mismo momento...
¡¡¡Alerta, los amarillos atacan!!!

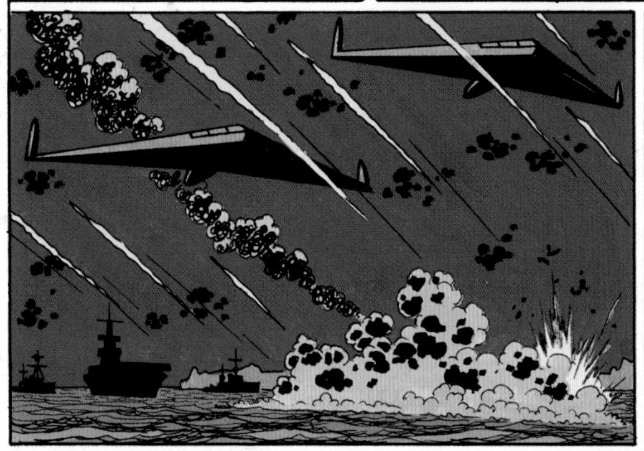

Inmediatamente, la D.C.A. abre un fuego infernal, pero el ataque se ha desencadenado tan súbitamente que dos de los bombarderos, atravesando las barreras, consiguen varios blancos. Sin embargo, ante el estupor de los defensores, cuando explotan esas extrañas bombas no hacen ruido ni producen deflagración, sólo una enorme cantidad de vapor cuyas pesadas volutas, al crecer, envuelven la base entera en una inmensa nube verdosa.

Y de pronto suena esta siniestra llamada.
¡¡¡Gases!!! ¡¡¡Alerta de gases!!! ¡¡¡A las máscaras!!!

La señal de alerta da la vuelta a la base con la rapidez del rayo y cada uno, colocándose su máscara...
...se prepara con feroz determinación para hacer frente a ese nuevo adversario.

Qué desgracia! Los sofocantes vapores, que se deslizan por troneras y aspilleras, invaden baterías y casamatas. Los defensores se dan cuenta bien pronto, con indecible angustia, de que los filtros de sus máscaras son impotentes para detener ese sutil veneno. Sofocados, los hombres caen retorciéndose por el suelo, luchando desesperadamente contra ese extraño y horrible enemigo.

¡Y llega la inevitable orden!
¡A toda la defensa!... ¡Orden de replegarse inmediatamente hacia el interior! ¡No dejen a nadie atrás! ¡Cierren las puertas estancas!... ¡Pronto!...

Forzados a batirse en retirada ante la virulencia del "gas verde", los defensores, transportando a sus heridos, se repliegan hacia el interior, cerrando tras ellos las pesadas hojas de acero de las puertas estancas.

¡Atención!... ¡La cosa se pone fea para nosotros, Mortimer!... Sí, un gas desconocido. ¡Vamos a defender galería por galería y a disputar el terreno palmo a palmo, pero nuestras fuerzas ya limitadas han sufrido severas pérdidas!... A propósito, ¿aún necesita el plazo que me pidió?
¡¡¡Y de qué manera!!!... En este momento conectamos los generadores de oxígeno. Concentre, si es preciso, toda la defensa sobre la sala y la central. ¡¡¡Pero por el amor de Dios, comandante, resistan... setenta minutos más!!!

Blake, que se hallaba en retaguardia, acaba de encontrarse con sir William en la barricada que defiende las proximidades de la sala de montaje.
He escalonado los grupos de hostigamiento a lo largo de todo el camino que lleva a esta última barricada y los pasos no defendibles han sido minados.
Well, ¡sinceramente pienso que no podemos hacer nada más, Blake!

Entre tanto, desde el puente de mando del Kang-Hi, Olrik y su Estado Mayor siguen atentamente el desarrollo de las operaciones.
¡Ajá! ¡Han cesado de disparar!... ¡Bien!... ¡comandante, haga avanzar las barcazas de asalto!
¡Muy bien, mi coronel!

Y, por segunda vez, las lanchas cargadas de tropas convergen impetuosamente hacia el enorme peñasco ahora silencioso.

Llegadas a su proximidad, las embarcaciones bajan sus puentes volantes; los amarillos se lanzan al agua y, protegidos por sus máscaras especiales, avanzan rápidamente a través del acre humo.

¡Mi capitán, el enemigo se ha retirado hacia el interior bloqueando las aspilleras!
No importa, teniente. ¡Haga abrir una brecha con explosivos y límpielo todo con los lanzallamas!

Inmediatamente, un grupo de paradores armado con un martillo neumático se apresura a abrir un agujero en los flancos del coloso de piedra.

Acaba de empezar el último acto, sir, ¡de ahora en adelante el Espadón tiene los minutos contados!
Sin duda. Pero resultemos vencedores o vencidos, le doy mi palabra de que si el Espadón cae en sus manos... Bueno. ¡Antes lo convertimos en polvo! Damned!!!

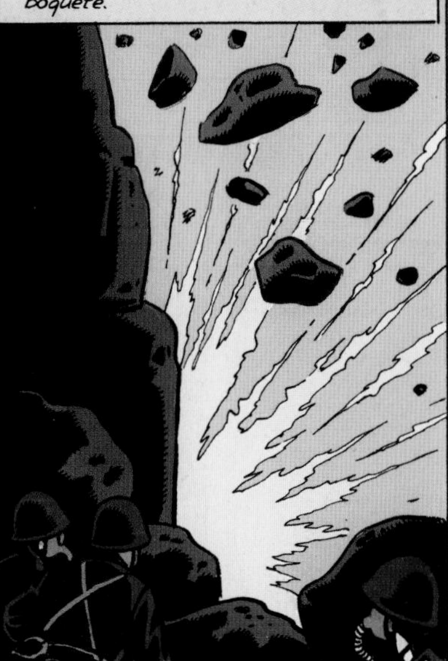
En el mismo instante, con horrísono trueno, la mina salta, destripando una batería y abriendo así un gran boquete.

Apenas disipado el humo de la explosión, los amarillos se internan en la brecha precedidos de sus lanzallamas.

Los grupos de oposición ofrecen una encarnizada resistencia, pero los asaltantes, calcinándolo todo a su paso gracias a sus terribles ingenios, van destruyendo los puestos uno tras otro, y llegan finalmente ante la última puerta que defiende la galería de la sala de montaje. La puerta salta a su vez.

Ahora nos toca a nosotros.
¡Aunque Mortimer termine a la hora fijada, me temo que sea demasiado tarde!

Instantes después, los amarillos, avanzando cautamente, aparecen al fondo de la galería. En seguida comienzan las descargas.

Damned! ¡Cuantos más matamos, más aparecen!
Sí, y consiguen acercarse lo suficiente para usar sus lanzallamas, ¡¡¡nos asan como a pollos!!!

Amigo Blake, creo que es inútil hacerse ilusiones sobre el resultado de la batalla. Tome el mando de los sobrevivientes y repliéguese hacia la cámara de inmersión. Al pasar, recoja a Mortimer y a sus hombres, así como a los de la central. Mientras, yo...

Pero en este instante se apaga bruscamente la luz, sumiendo a los adversarios en la oscuridad.

¡Caramba! ¡Un cortocircuito!

¡Habrán alcanzado los cables con sus lanzallamas!

Aprovechando las tinieblas y a despecho de sus pérdidas, los amarillos se acercan insensibles. Sobre los defensores ya empiezan a caer las pavesas, amenazando peligrosamente un tren de municiones inmovilizado tras la barricada.
Heavens! ¡Hagan recular estos condenados vagones!... ¡¡¡Si el fuego llega a las municiones, saltará todo!!!
¡Imposible dar marcha atrás, sir! ¡Las agujas están bloqueadas!
A
H2

Pero Nasir interviene.

¡Espere, sahib, yo conozco un medio!

¿Cómo, tú, Nasir? ¿Cuál?...
¡Muy sencillo, que el sahib envíe el tren hacia delante!

Great Scout! ¡Qué buena idea! ¡Vamos, boys, pronto: despejadme esa vía!

En un abrir y cerrar de ojos, queda libre la vía y el tren en posición de partida. Habiendo conectado Blake la puesta en marcha, el convoy se estremece y, en seguida, cogiendo poco a poco velocidad, va directo hacia las posiciones amarillas con un ruido atronador.

Good bye!!!

¡¡¡Y ahora, boys, cuerpo a tierra si no queréis encontraros en el paraíso!!!

Los amarillos, viendo precipitarse hacia ellos a ese extraño adversario, y desconcertados por lo que creen un desesperado contraataque de los sitiados, concentran de inmediato los chorros de sus lanzallamas sobre el convoy.

El resultado no se hace esperar. De pronto brota un fulgurante resplandor; una ensordecedora explosión pulveriza el tren y todo lo que encuentra a su alcance, provocando a la vez el derrumbamiento de una parte de la galería, mientras que la barricada de los ingleses resulta literalmente barrida por la onda expansiva.

Aturdidos, contusionados y magullados, pero sanos y salvos, los defensores se incorporan en medio de los restos destrozados, mientras que, bajo los escombres, las municiones siguen explotando en cadena.
¡Bien, hemos dado buena cuenta de ellos!
¡Sí, y esto les retrasará mucho!

Súbitamente, en medio del tumulto, suena una llamada.
¡El profesor Mortimer pregunta por el capitán Blake, es urgente!
¡¡¡Al fin!!!

Vaya Vd, Blake. ¡Y buena suerte!
Gracias, señor. ¡Cuente conmigo!

Y Blake se lanza hacia el hall.
¡Que Alá le proteja, sahib!
¡Adiós, valiente!

SX-1
Instantes más tarde, Blake penetra en la sala de montaje. Ante él, colocados ya sobre los carros de maniobra y rodeados de atareados técnicos, se presentan el SX-1 y el SX-2, primeros prototipos del ingenio del que depende la suerte de millones de seres oprimidos. ¡EL ESPADÓN!

Un momento después, mientras Mortimer ayuda a Blake a equiparse, hace a éste sus últimas recomendaciones.

...además, para permitir una mayor resistencia a la fuerza centrífuga en las evoluciones y a fin de reducir al mínimo la fatiga de pilotar, he hecho preparar un lecho de nailon en la cabina. Esta disposición le facilitará las mayores acrobacias. Sin embargo, al no haber sido concebida esta máquina para obtener este resultado, no pase sino gradualmente a las grandes velocidades, ya que de no hacerlo así se arriesga a perder el conocimiento. Otra cosa: calcule bien la distancia del objetivo cuando dispare los cohetes atómicos con el fin de no encontrarse atrapado por la onda expansiva. Por fin, en caso...

En este momento, un contramaestre se precipita hacia Mortimer.
Profesor, una de las juntas de la cabina del SX-2 tiene una fuga. Tenemos para un cuarto de hora, quizá más.
Damn'it!!!

Escuche, amigo mío, tenemos los minutos contados. Iré primero, alcánceme lo más aprisa posible. Por otra parte, si hay jaleo, su presencia aquí será más necesaria que la mía.
Sea, pero mantenga el contacto con nosotros por radio.

Luego, el capitán, despidiéndose de Mortimer, salta prestamente a bordo del SX-1.

Good bye, Mortimer!

Good luck, Blake!

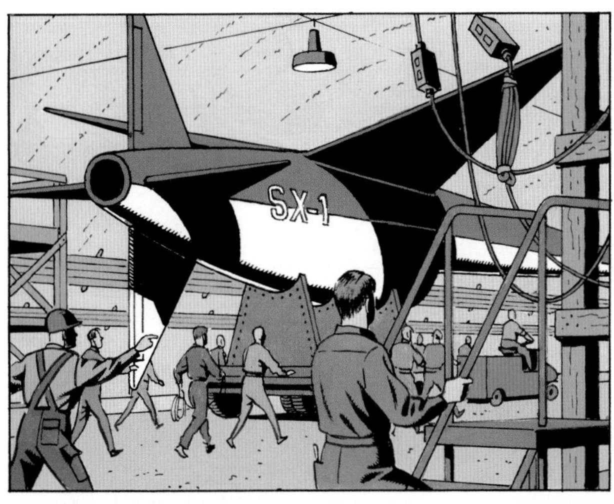

Mientras Blake se instala en la cabina, los técnicos, a una señal de Mortimer, unen un pequeño tractor al carro de maniobra. A continuación, el singular ingenio es dirigido hacia la esclusa de partida. Allí, por una rampa inclinada, el misterioso Espadón, cual gigantesco pez, se desliza silenciosamente en el agua del dique, en tanto que la puerta de la sala vuelve a cerrarse tras él.

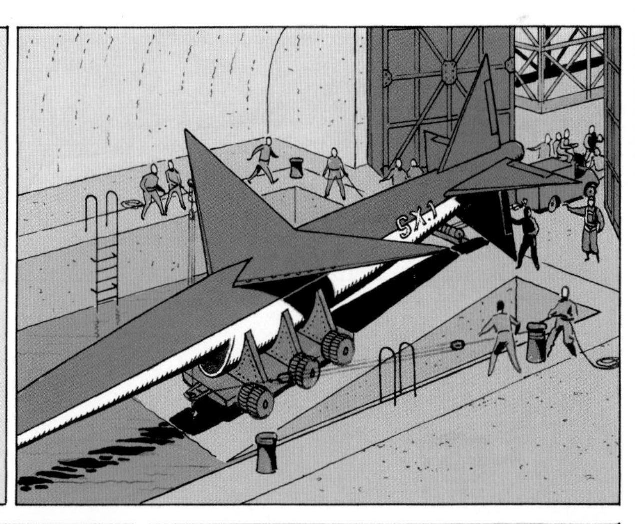

El profesor toma inmediatamente la dirección de la maniobra...
¡Preparadas las bombas!

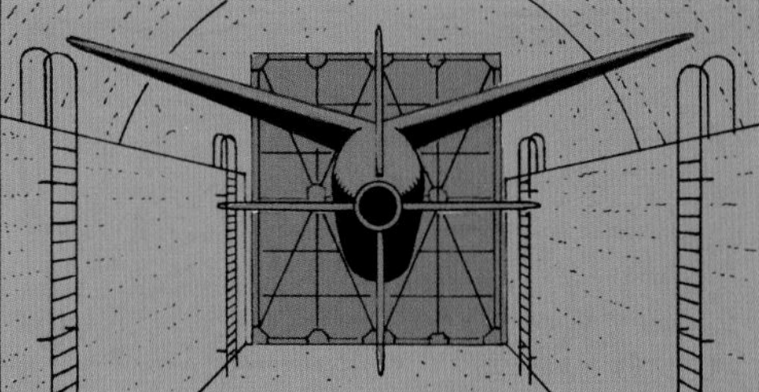

...y el agua, que se precipita burbujeando, inunda rápidamente la esclusa de salida.
¡Atención! Blake. ¿Todo normal? ¿Presión? ¿Estanquidad?... ¡Perfecto! Atento ahora, abro la puerta de la esclusa grande.

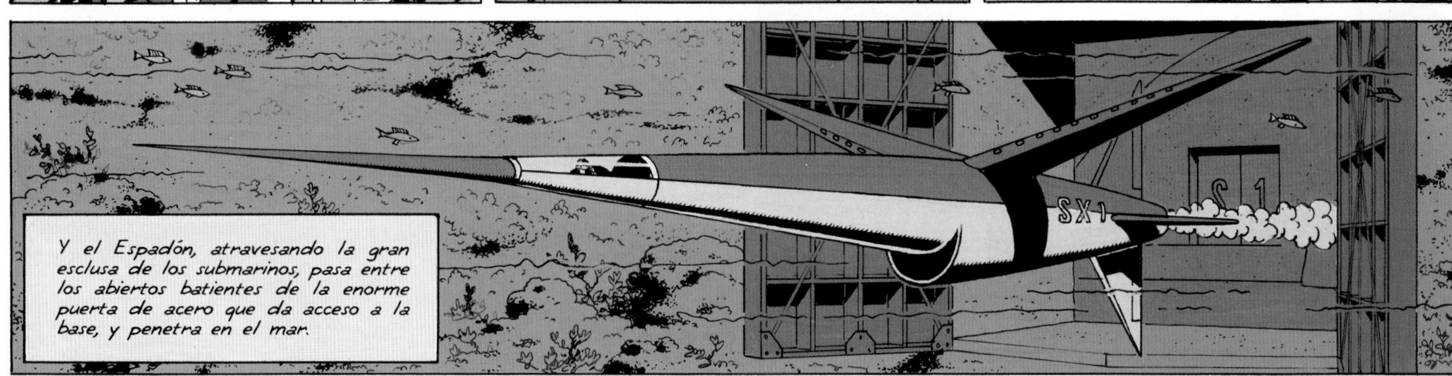
Y el Espadón, atravesando la gran esclusa de los submarinos, pasa entre los abiertos batientes de la enorme puerta de acero que da acceso a la base, y penetra en el mar.

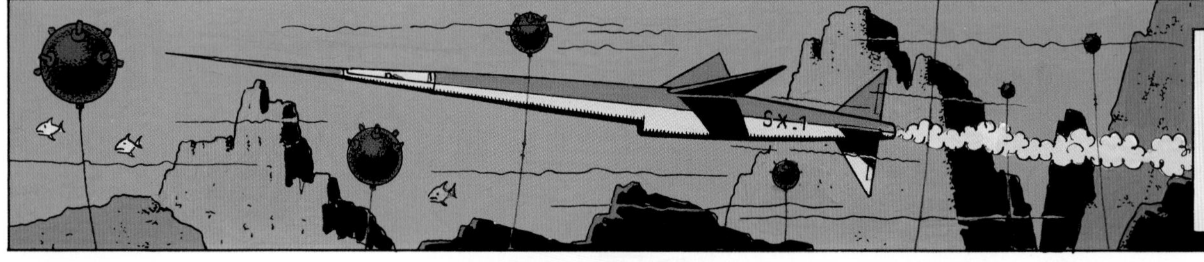

Avanzando prudentemente a través de la barrera de minas, Blake se dirige hacia el mar libre, tratando de localizar con la ayuda de su radar la situación de los buques enemigos.

¡Hola! ¡Buenas noticias, Francis! Finalizada la reparación del SX-2. ¡Ahora voy!... ¡Ah!... No se olvide de cortar el depósito de oxígeno en el momento de emerger. ¡Y sobre todo de abrir la toma de aire!

¡Comprendido, amigo mío!... ¡Ajá! Ya tengo el sitio que buscaba. Bueno, Mortimer, adiós y England forever!!!

Con estas palabras, Blake, enderezando el aparato, da gas a fondo y el Espadón, cogiendo progresivamente velocidad, se lanza hacia la superficie con toda la potencia de sus reactores.

En el mismo momento, se iza el pabellón amarillo sobre la base.
¿Y bien? ¿Qué, caballeros, he cumplido mi palabra?

Apenas ha pronunciado Olrik esta frase cuando el Espadón, levantando un gigantesco surtidor de espuma, de un brinco prodigioso...

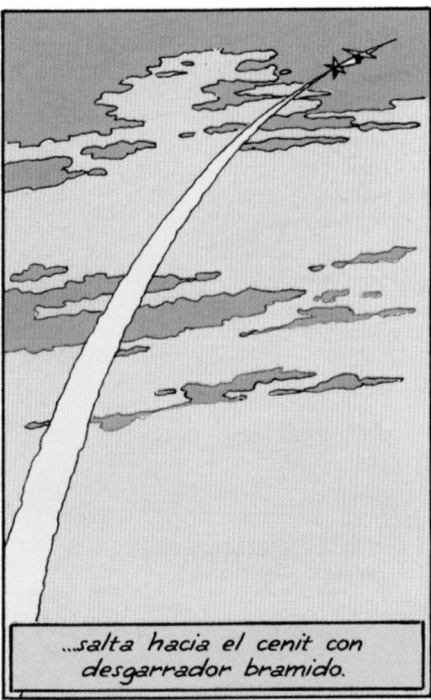
...salta hacia el cenit con desgarrador bramido.

Luego, en cerrado viraje, pica directamente sobre el crucero pesado Kouen-Lun, cuyos aterrados artilleros se quedan pegados a las piezas, incapaces de esbozar el menor gesto de defensa.

Llegado a cien yardas del navío, el Espadón le lanza de pronto uno de sus cohetes atómicos...

...y mientras el coloso, tocado de lleno por el terrible proyectil, salta vomitando un torrente de fuego...

...el Espadón busca ya nuevas víctimas.

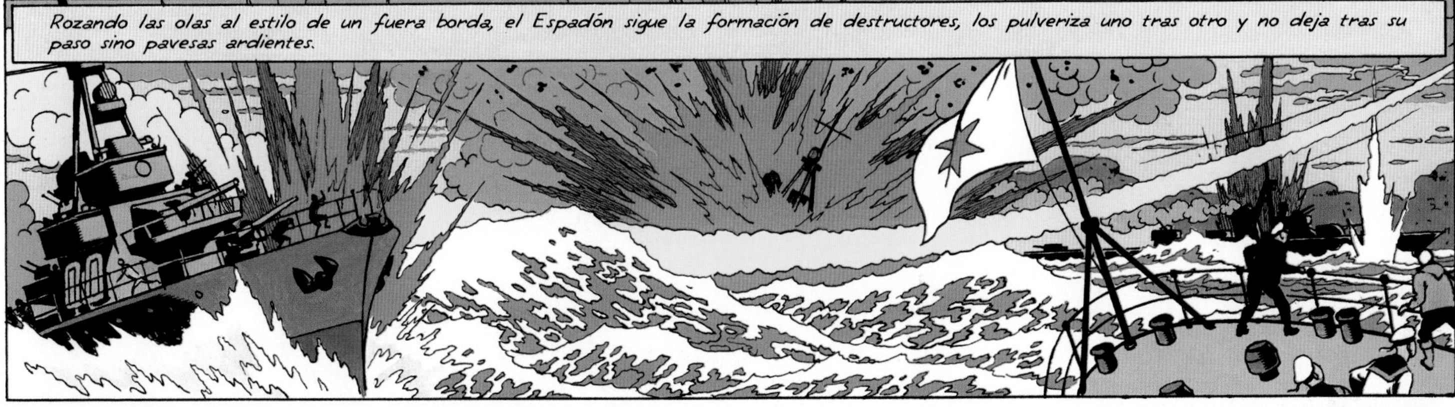
Rozando las olas al estilo de un fuera borda, el Espadón sigue la formación de destructores, los pulveriza uno tras otro y no deja tras su paso sino pavesas ardientes.

Después, rebotando desde el cielo tras ejecutar un rizo prodigioso, se lanza sobre el portaaviones.

En este instante, Blake constata aterrado que los mandos del aparato no responden.
¿Pero qué pasa?... ¡Mortimer!... ¡Mortimer!

Y, como un bólido, el incontrolable ingenio se precipita hacia la base, que parece subir a su encuentro a velocidad vertiginosa.
¡¡¡Se ha calado el servo de profundidad!!!

¡¡¡Santo Dios!!!... ¡¡¡La cabina, pronto!!! ¡¡¡Expulse la cabina!!!... ¡¡¡Ya llego!!!

SX-1

Rozando las olas al estilo de un fuera borda, El Espadón sigue la formación de desructores, los pulveriza uno tras otro y no deja tras su paso sino pavesas ardientes.

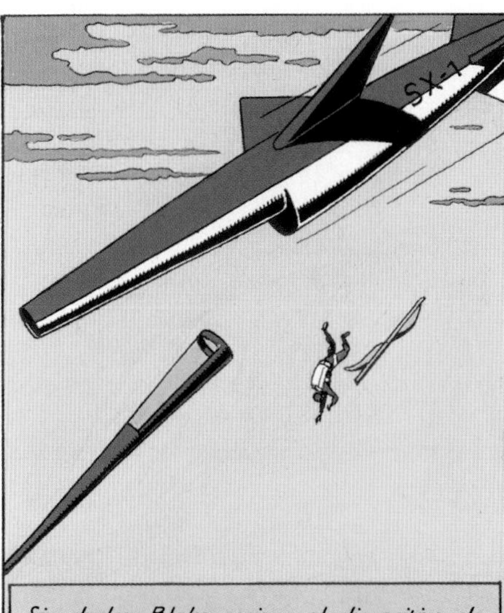
SX-1
Sin dudar, Blake acciona el dispositivo de expulsión. La nariz del aparato se desprende de golpe, provocando a la vez el lanzamiento del piloto fuera de la cabina.

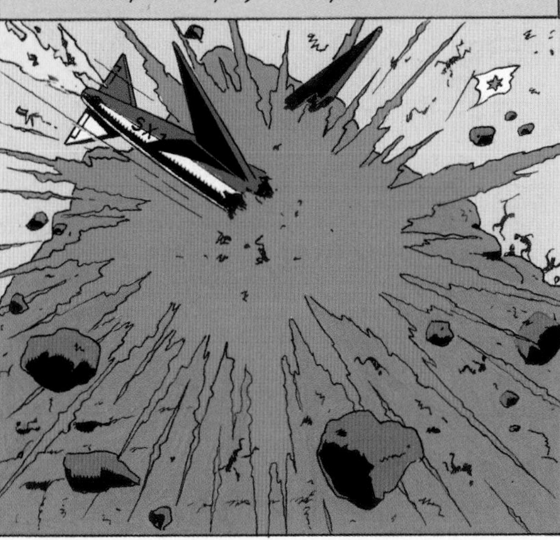
¡Por poco!... Cinco segundos después, el SX-1, sin control, continuando su loca carrera, va a estrellarse contra la cima de la base y explota con el resto de sus cohetes atómicos, aniquilando con un rayo cegador a todas las tropas diseminadas por la superficie del peñón.

Bajo los efectos de la formidable deflagración, la base se metamorfosea en un gigantesco brasero. Blake, cogido en los remolinos, lucha para neutralizar los efectos de la onda expansiva.

Repuestos ya los amarillos, las piezas antiaéreas del Kang-Hi que han escapado al desastre empiezan a ladrar furiosamente.

Por fortuna para el capitán, el humo de los restos molesta grandemente a los artilleros y su tiro resulta ineficaz.
¡Los cazas! ¡Pronto, que salgan los cazas, por mil diablos!

Despegando a toda velocidad, los aviones se lanzan al ataque.

Pero en este instante, elevándose del fondo del océano, el SX-2 aparece súbitamente en la superficie...

...y, dejando un rastro de fuego, salta a su vez hacia el cielo, al encuentro de los cazas.

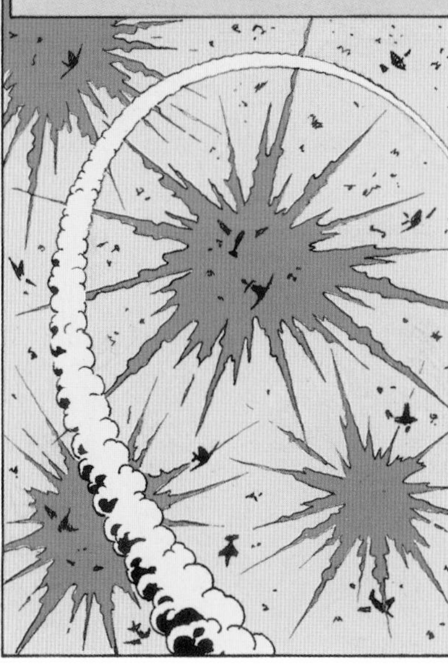
Y en menos tiempo del que se tarda en decirlo, los cazas enemigos barridos, dislocados, reducidos a añicos, ven sus despojos lanzados a los cuatro vientos.

Mientras el SX-2 limpia el cielo de aviones, Blake, a quien una ráfaga de viento ha empujado hacia la orilla, resulta de pronto blanco de la artillería terrestre. Mortimer ve el peligro, efectúa en seguida un viraje y se lanza a por él.

Desde el puente de mando del Kang-Hi, Olrik, ciego de rabia, sigue, impotente, las evoluciones de este extraño y terrible adversario.
¡Por todos los infiernos!... ¡Si no le dan, estamos perdidos!

A despecho de los cohetes que silban a su alrededor, el Espadón, cual bólido vengador, se lanza directamente sobre las baterías, y...

...un momento después, desaparecen artilleros y cañones, volatilizados en un huracán de fuego.

Al ver esto, Olrik, sin esperar ya más, abandona precipitadamente el puente de mando y se lanza hacia un aparato listo para despegar.

¡Justo a tiempo!... Desde lo alto del cielo, el SX-2 vuelve al ataque sobre su último adversario; Mortimer dispara una andanada de cohetes atómicos en pleno puente de despegue del Kang-Hi, que salta despanzurrado en el mismo instante en que el aparato de Olrik abandona la plataforma. El avión da un terrible bandazo y desaparece entre la humareda.

Entonces, rozando las olas cubiertas de restos humeantes, Mortimer, despreciando las pocas embarcaciones escapadas del desastre, que huyen en todas direcciones, se prepara a amerizar. Blake, que acaba de tocar tierra sano y salvo, lo aclama.

Una hora más tarde, ante la emisora de la base, sir William hace una llamada mundial.
¡Atención! ¡Atención! ¡Aquí el Mundo Libre!... ¡Atención! ¡Atención! A todas las radios clandestinas: mensaje importante.

En el día de hoy el opresor amarillo acaba de sufrir una aplastante derrota que anuncia su próximo aniquilamiento. Dos prototipos de un nuevo ingenio bautizado con el nombre de el Espadón, construidos en una base secreta del mar de Omán, acaban de reducir a la nada un cuerpo expedicionario entero...

...compuesto de tropas terrestres, aéreas y navales. Una poderosa escuadra de estos terribles ingenios está a punto de entrar en acción. ¡Hombres libres del mundo, la hora de la libertad ha sonado! ¡¡¡Arriba contra el invasor!!!

Mientras, Mortimer se dirige a los hombres de la sala de montaje.

¡Y ahora, boys, a trabajar!... Nos falta acabar una escuadrilla antes de que tengan tiempo de rehacerse.

Entre tanto, a pesar de los desesperados esfuerzos de la censura, la noticia del desastre del estrecho de Ormuz, corriendo como un reguero de pólvora, ha sumido al Imperio Amarillo en la consternación.

En el palacio imperial, hace ya tres días seguidos que el Gran Consejo se halla reunido.

Sí, su Majestad Imperial, cuya cólera es indescriptible, ha decidido destruir a los rebeldes con los cohetes atómicos Li-Kong. A tal efecto, el Emperador ha hecho conectar el palacio con el arsenal por medio de un dispositivo que le permitirá, llegado el momento, desencadenar el bombardeo con sus propias manos con sólo apretar un botón, y solamente la presencia de nuestras tropas en territorio enemigo le ha impedido hacerlo ya.

¿Pero por qué no cocer al pato en su propia salsa? ¡Lancemos un ataque atómico a la guarida del Espadón!

Sí, pero los datos recogidos de ese diabólico ingenio son tan confusos y el pánico que ha seguido a la debacle tan grande que el Estado Mayor ha preferido esperar el informe de Olrik antes de arriesgar un nuevo ataque. Así pues, mientras se ha decidido vigilar la zona del estrecho por la aviación, hace tan sólo unas horas se encontró el aparato de Olrik inmovilizado a causa de un aterrizaje forzoso entre los acantilados del Makran. Se le espera de un momento a otro.

Durante este tiempo, el Emperador, encerrado en su gabinete con el doctor Sun-Fo, escucha la lectura de las últimas informaciones.

"...surgen por doquier verdaderos ejércitos de partisanos provistos de abundante material sustraído durante la conquista. Madrid, París y Roma acaban de ser reconquistados por los revolucionarios tras violentos combates callejeros. Nueva York: el general Ogotai se ha visto obligado a atrincherarse en Coney Island con el resto de la guarnición. Buenos Aires: las tropas del 8 ejército, desmoralizadas, se han amotinado."

"Shanghai: el general Tchang-Li-Tcheck se ha sublevado y pasado al enemigo con la 48 división blindada."
¡¡¡Basta!!!

¡Traidores! ¡Cobardes! ¡Mis propios oficiales!... ¡Bueno, mejor! Así nada se opone a mi venganza y... Aunque. ¡No! Una muerte repentina e inesperada sería demasiado dulce. ¡Primero que lo sepan!... ¡Fo!... ¡Fo! Conéctame a la red mundial y anuncia una emisión especial.
¡Sí, Majestad!

¡Aaah! ¿¡Cómo pueden ser tan estúpidos esos miserables para osar oponérseme!?...

...¡¡¡Cuando, ocultos en el fondo del valle del Yen-Wang-Ye, mil ingenios de muerte sólo esperan un gesto de mi mano para saltar hacia el cielo!!!

Pero, muy poderoso Emperador, cuando vuestra augusta mano haya liberado esas fuerzas desconocidas y terribles, ¿no existe el peligro de ver al Imperio arrastrado a su vez a la catástrofe que vuestra divina cólera habrá provocado?
¡Y bien, que muera pues el Imperio!... ¡¡¡Pero que se haga mi voluntad!!!

¡Poderoso Emperador, la línea está conectada!
¡Ah!

¡Atención! ¡Atención! ¡Aquí radio Lhasa!... ¡Emisión especial!... ¡Atención! ¡Atención! ¡Escuchad!... Vuestro amo, el gran, el ilustre, el magnánimo emperador Basam-Damdu, de lo alto de su inaccesible grandeza, se digna a hablaros.

Y habla el Emperador.
¡De rodillas, miserables gusanos! ¡De rodillas ante mi sublime grandeza!... ¡Preparaos a comparecer ante el implacable dueño de los diez juzgados, porque yo, Basam el Grande, Emperador de la Cumbre Oriental, os condeno a muerte, a vosotros, que habéis osado, con inconcebible orgullo, levantaros contra la voluntad de mi inconmensurable poder!...

Sabed que, en el valle del Yen-Wang-Ye, centenares de ingenios de un terrible poder...

...esperan, apuntando a todas las direcciones del mundo. Ni un solo rincón, ni un solo hombre escapará a mi venganza. Dentro de unos instantes tendréis encima de vuestras cabezas el fuego de los dieciocho infiernos. ¡Y seré yo, Basam, el hijo del gran Kouan-Ti, quien lo desencadenará desde lo alto de mi torno! ¡En cuanto a vosotros, soldados desleales, que me habéis traicionado, los dos Wou-T'chang sólo esperan mi orden para arrastraros ante los diez Chetien-Yen-Wang! ¡¡¡He dicho, y que el martillo de bronce de Lei-Kong os aplaste y reduzca a cenizas!!!... Helo aquí. Acerco mi dedo al interruptor y cuento. Uno... Dos...

Sublime Majestad, el coronel Olrik solicita el favor de ser recibido con toda urgencia.
¡Ah!... ¡¡¡Lo había olvidado!!! ¡¡¡Que pase!!!
¡Sire, pulverizad al instante el refugio de los espadones con nuestras armas atómicas! Y como, personalmente, tengo una cuenta pendiente con esa gente, ¡reclamo el honor de lanzar el primer cohete!
¡Tu deseo será cumplido!

Sire, he escapado de milagro a la catástrofe y he venido a Lhasa lo más rápido posible a fin de ponerme a las órdenes de vuestra Majestad Imperial y ayudarla con mis modestos consejos.
¡Ya recuerdo bien esta faceta tuya!... Y dime, ¿qué me aconsejas?
¡Guardias! ¡¡¡Coged a este traidor y atadlo al primer cohete que parta!!!
¡¿¡Sire!?!

Pero en este momento, subiendo de las profundidades del valle, la sirena del arsenal deja oír su lúgubre ulular.

E.P. JACOBS

¡De una a otra punta de la base de lanzamiento, el tiro de la D.C.A. se desencadena con furia!

Ante ese ruido, el emperador y los guardias se detienen sobrecogidos.
¡¿¿Qué... qué significa ese alboroto??!
Significa, oh, poderoso monarca, que el Espadón vuela en este instante sobre tu imperio. ¡Ja! ¡Ja! ¡Ja!...

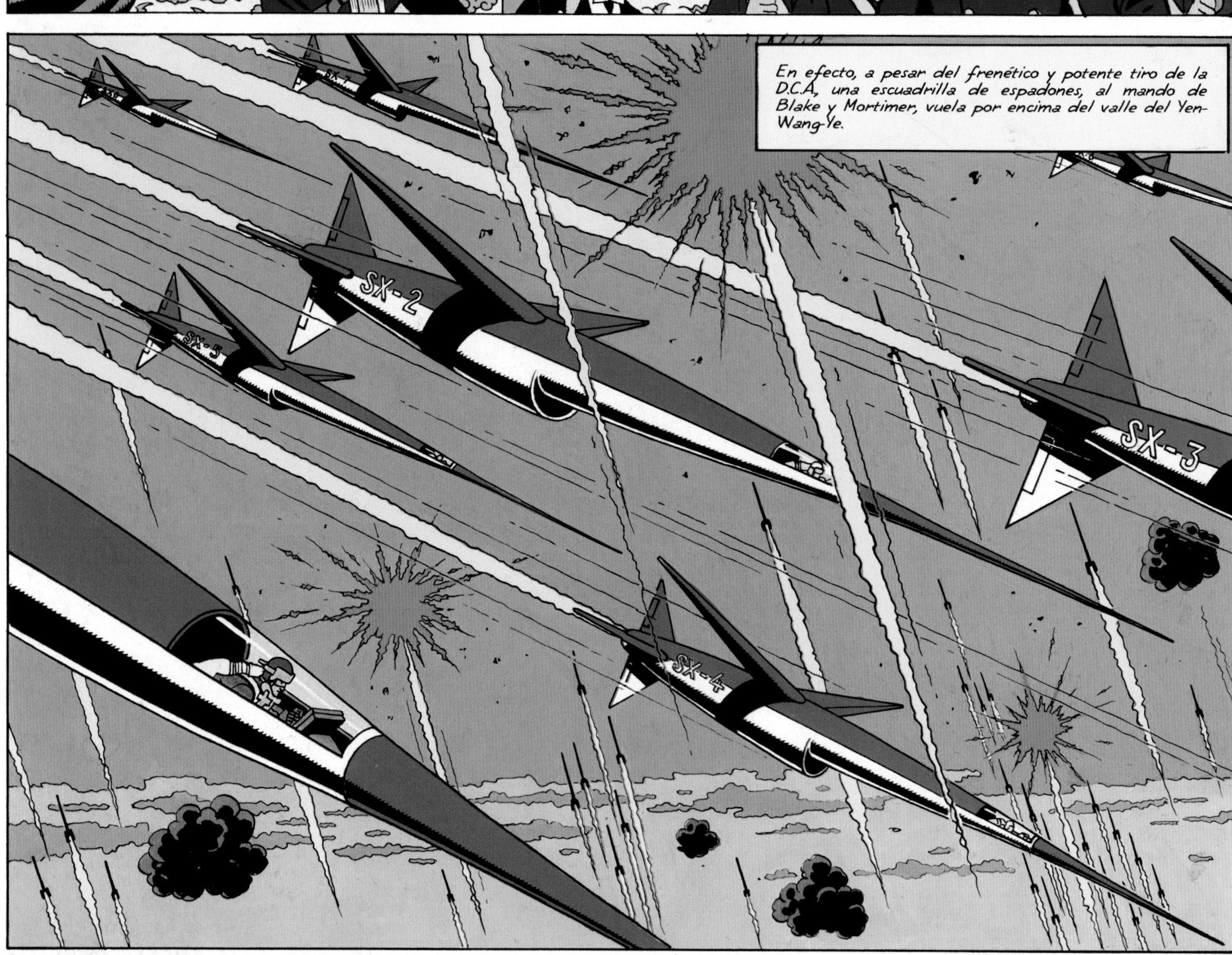
En efecto, a pesar del frenético y potente tiro de la D.C.A., una escuadrilla de espadones, al mando de Blake y Mortimer, vuela por encima del valle del Yen-Wang-Ye.
SX-2
SX-5
SX-3
SX-4

Ciego de Furor por el sarcasmo de Olrik, el Emperador se precipita al balcón.
¡¡¡Por todos los diablos del infierno, derribadles!!! ¡¡¡Derribadles!!!

¡Demasiado tarde, Basam-Damdu!... ¡Demasiado tarde!... ¡¡¡Mejor que te prepares para comparecer con dignidad ante el juez infernal!!!
¿Qué dices, perro? ¡¿Demasiado tarde?! ¡Ah! ¡Ah!... ¡¡¡Aún me queda tiempo para hacer saltar el planeta conmigo!!!

Y, borracho de furia homicida, el Emperador se arroja sobre el tablero de mandos.
¡¡¡Os pulverizaré a todos!!!

Pero en este preciso instante, ¡explota la bomba lanzada por Blake!... Cual escena dantesca, el cielo se abrasa, aniquilando de golpe todos los ingenios preparados en la base de lanzamiento. Y mientras el palacio imperial, barrido por el soplo de fuego, se derrumba como un castillo de naipes, la orgullosa ciudad a sus pies arde como una antorcha.

¡Misión cumplida! ¡Incursión realizada con éxito!
SX 3
SX 7
SX.4
En una visión de Apocalipsis, la espantosa destrucción, que se extiende a través de estepas y valles, asola el país en un radio de decenas de millas. Terminada su misión la escuadrilla da media vuelta y pone rumbo a la base, mientras, Blake hace su informe lacónicamente.

Y la noticia llega a la base, donde se levanta un entusiasmo indescriptible.
Boys! ¡La incursión ha sido un éxito! ¡El arsenal y la ciudad han quedado destruidos! ¡¡La victoria es nuestra!!
Hip! Hip! Hurra!...

Y la radio lanza de inmediato al éter este exultante boletín de triunfo...

¡Atención! ¡Atención! ¡Aquí el Mundo Libre!... ¡Ciudadanos del mundo, la victoria es total!... ¡Esta tarde, una importante formación de espadones, a las órdenes del capitán Blake y del profesor Mortimer, ha arrasado la capital del Imperio Amarillo y su temible arsenal secreto en el momento en que Basam-Damdu, el sanguinario tirano, se disponía a desencadenar sobre el globo la más espantosa de las catástrofes! ¡Privados en adelante de una dirección y del abastecimiento, los islotes de resistencia aún existentes están desde ahora condenados al exterminio!... ¡¡¡Ciudadanos del mundo, sois libres!!!

Dos horas después, la escuadrilla victoriosa alcaza la base, ¡saludada por las aclamaciones de la guarnición en masa situada sobre el glorioso peñón!

Un mes más tarde, en Londres...
¡Dios mío! ¡Cuántas ruinas!
¡Sí, amigo mío, pero lo reconstruiremos todo y, una vez más, la civilización habrá dicho la última palabra! ¡¡¡Esperemos que en esta ocasión sea para bien!!!

FIN

FIN

SX-2
SX-3
SX-5